GINETTE BOLDUC
DANIELLE DULUDE

L'île Sainte-Hélène et son gardien
1896-1916

SOCIÉTÉ HISTORIQUE DU MARIGOT INC.

440, CHEMIN CHAMBLY, LONGUEUIL (QUÉBEC) J4H 3I 7

Page couverture:
Alfred Dubois et le Corps
de police de l'île Sainte-
Hélène

Les recherches historiques ont été faites
dans le cadre d'une subvention
du Gouvernement du Canada
par monsieur Nic Leblanc,
député de Longueuil.

Dépôt légal: Bibliothèque nationale du Québec
Bibliothèque nationale du Canada
Troisième trimestre 1992

ISBN   2-920313-23-1

*À mesdames Germaine Lebreton Rivest
et Jeannine Maurice Gariépy qui ont métarmophosé
notre intérêt en une passion
pour la famille Dubois.*

Amicals remerciements pour :

leur soutien
> Annette Laramée, présidente
> et le conseil d'administration
> de la Société historique du Marigot.

leurs souvenirs
> Mme Gabrielle Lebreton Chouinard
> Mme Germaine Lebreton Rivest
> Mme Jeannine Maurice Gariépy

sa précieuse collaboration
> Marcel Bernier

leur participation
> Lucienne Dalcourt
> Mercédez Roberge
> Robert Gauthier

Préface

Une conversation anodine, entendue par hasard chez le coiffeur, est à l'origine de ce récit. En effet, quelle ne fut pas mon étonnement d'entendre raconter que l'île-Sainte-Hélène, située sur le Saint-Laurent entre Montréal et Longueuil, aurait été habitée, à la fin du siècle dernier, par une certaine famille Dubois. Ma curiosité était piquée et j'en fis part à Ginette Bolduc, qui était alors secrétaire du conseil d'administration de la Société historique du Marigot. Enthousiasmée, elle entreprit des recherches et associa Danielle Dulude au projet.

La tâche s'annonçait facile: l'événement ayant eu lieu près de nous, à une époque que les historiens considèrent encore récente. Les recherchistes furent cependant étonnées de constater que cet épisode souffrait semble-t-il, d'un trou de mémoire d'une cinquantaine d'années dans les archives. Avec persévérance, elles continuèrent l'enquête et, après quatre années d'efforts, elles redonnèrent à l'île, la période oubliée: l'habitation de l'île Sainte-Hélène par la famille Dubois.

Les auteures suivirent les pérégrinations de ces personnages à Saint-Ferdinand d'Halifax, Pittsfield (Massachusetts), Montréal et finalement à l'île Sainte Hélène. Madame Bolduc et madame Dulude firent connaisance avec chacun des membres de la famille: de l'aïeul au dernier-né, elles furent témoins de leurs joies comme leurs peines les plus intimes. Les auteures nous racontent une partie de l'histoire de l'île à travers une courageuse famille de chez-nous.

Annette Laramée, présidente
Société historique du Marigot Inc.

PREMIERE PARTIE

1877-1896

CHAPITRE PREMIER

Épousailles à Saint-Ferdinand d'Halifax

IL Y AVAIT BEAUCOUP D'ANIMATION chez les Dubois en ce 24 janvier 1877. Le soleil n'était pas encore levé que, déjà, on s'affairait à préparer la noce. Dans la grande chambre de compagnie, on installa, en guise de table, des planches sur des chevalets que l'on recouvrit de nappes. On y déposa les plats composant le festin: rôtis, pâtés, volailles, ragoûts, galettes et beignes.

Les soeurs du futur époux s'étaient mises à la tâche plusieurs jours à l'avance. «Pour en avoir assez, disaient-elles, il faut en avoir de reste.» Quant aux frères d'Alfred, ils avaient toiletté cheval et traîneau pour l'occasion.

Dans sa chambre, le fiancé était presque prêt. Son cousin et ami Bruno Saillant, qui ferait office de garçon d'honneur, lui donnait ses derniers conseils de célibataire.

— Tu sais, Alfred, c'est une nouvelle vie qui commence pour toi. Tu vas avoir une *trâlée* d'enfants et il faudra ben que tu t'en occupes. Et puis il y aura ta femme pour t'empêcher de faire la moitié des choses que tu voudras faire. Il te faudra ramasser assez d'argent pour avoir une maison et une terre...

Alfred, ahuri, se demandait si son cousin était sérieux. Mais le garçon d'honneur, toujours pince-sans-rire, continuait son boniment abusif:

_ Quand tu seras vieux, tes enfants vont venir te rendre visite, et puis, ils te laisseront leurs petits sur le dos. Quand tu mourras, on viendra te rendre un dernier hommage, puis on t'oubliera doucement!

Bruno, n'en pouvant plus, pouffa de rire.

— Toi, mon maudit, tu m'as eu correct. Je commençais à me demander si je ne devais pas rester vieux garçon.

— Non, non Alfred, tu fais probablement la meilleure affaire de ta vie. Adèle va être une bonne femme pour toi et une mère hors pair pour tes enfants. Même que, je t'envie d'avoir déniché une femme comme elle. Félicitations, mon Alfred. Je te souhaite d'être heureux et d'avoir une bonne vie.

Alfred descendit à la cuisine où l'attendaient son père et sa mère.

— Alfred, lui dit son père, j'ai jamais été bon pour montrer mes sentiments mais aujourd'hui, je suis fier de te donner ma bénédiction.

Julie contemplait son fils qui s'était agenouillé pour recevoir la bénédiction paternelle. Il était grand et large d'épaules. Une moustache blonde, bien taillée, une chevelure abondante et les yeux bleus lui conféraient une allure de joueur de tour et de bon vivant. Son visage dégageait, déjà à vingt ans, force et maturité. Malgré son gabarit imposant, Alfred souffrait d'asthme. Cette affection avait été une préoccupation constante pour Julie qui espérait que sa bru serait aussi vigilante qu'elle l'avait toujours été lors des crises d'asthme de son fils.

La voix d'Alfred la ramena à la réalité:

— La mère, faudrait que vous cessiez de rêvasser si vous voulez être à l'heure à l'église. Il est six heures et quart.

Dehors, on entendait les cloches carillonner, c'était le moment de partir; une partie des invités attendait le futur époux pour l'escorter à l'église. Le fiancé, vêtu de ses plus beaux atours, monta dans le traîneau.

Chez la future épousée, la famille Bilodeau s'affairait aux derniers préparatifs. Fidèle à la tradition, Adèle portait la robe de noces de sa mère: une robe blanche, toute simple, qu'on avait remodelée quelque peu pour lui donner la fraîcheur d'une neuve. Adèle s'était de plus confectionné un chaud manteau de laine blanche garni de fourrure, et y avait brodé des lys incrustés de minuscules billes transparentes en verre. Les retailles avaient servi à faire un manchon qui lui garderait les mains au chaud. Elle était coiffée d'un petit chapeau de fourrure. Des gants et un sac satiné, cadeaux de son fiancé, complétaient le tout. Dans le soleil radieux de ce matin-là, l'effet était des plus réussis.

— Maman, demanda Adèle, voulez-vous me bénir, vu que papa n'est plus là pour le faire?

Marie, prise au dépourvue et un peu embarrassée, acquiesça :

— Je vais te bénir ma fille et je te souhaite d'avoir une vie plus facile que la mienne, d'avoir des enfants en bonne santé.

Elle prit sa fille dans ses bras et, sentant l'émotion la gagner, s'en détacha en lui disant:

— Il faut partir maintenant.

La mère et la fille prirent place dans le traîneau qui les emmena jusqu'à l'église.

***

LE VILLAGE DE SAINT-FERDINAND est situé au coeur du comté de Mégantic. Pendant longtemps, il porta le nom de "la paroisse du Lac" faisant ainsi référence au lac William qui était situé au centre de la paroisse.

Saint-Ferdinand fut l'une des premières paroisses ouvertes à la colonisation. Le nom lui fut probablement donné en souvenir du Révérend Ferdinand Gauvreau, alors curé à Saint-Sylvestre, qui y célébra la première messe sous le dôme des bois à l'été de 1834. Il fallait des colons vigoureux, pleins de courage et d'énergie pour entreprendre la vie de défricheur. Il n'y avait pour communiquer avec le monde extérieur que le grand chemin militaire: le chemin Craig. En effet, le chemin Gosford qui devait traverser tout le comté n'était pas encore terminé. Par "le Craig" on pouvait atteindre Saint-Nicolas, Saint-Antoine-de-Tilly et Québec.

***

À l'église, les fiancés furent conduits au pied de la balustrade par leurs témoins Bruno Saillant et Frédéric Roy. Les garçons d'honneur, prenaient leur rôle au sérieux et semblaient encore plus nerveux qu'Alfred et Adèle.

La messe nuptiale fut célébrée par l'abbé Bernier, celui-là même qui avait baptisé Alfred. L'abbé connaissait bien Alfred, car il l'avait vu grandir au village. Il savait que le jeune homme était honnête et travailleur, mais il connaissait moins Adèle, qui était originaire de Saint-Pierre de Broughton.

— Alfred Dubois, voulez-vous prendre pour épouse Adèle Bilodeau, ici présente? Promettez-vous de l'aimer pour le meilleur et pour le pire, dans le bonheur et dans le malheur, dans la richesse et dans la pauvreté, et ce, jusqu'à ce que la mort vous sépare?

— Oui, je le veux.

— Adèle Bilodeau, voulez-vous prendre pour époux Alfred Dubois ici présent? Promettez-vous de l'aimer pour le meilleur et pour le pire, dans le bonheur et dans le malheur, dans la richesse et dans la pauvreté, et ce, jusqu'à ce que la mort vous sépare?

— Oui, je le veux.

L'échange des alliances se fit avec nervosité. Alfred échappa son anneau. Il se pencha pour le récupérer mais, pendant quelques secondes, qui lui parurent une éternité, l'anneau fut introuvable. Des rires fusèrent ici et là, et, finalement, à son grand soulagement, Alfred retrouva le jonc aux pieds du curé. Le sourire en coin, l'officiant poursuivit la cérémonie.

— Je vous déclare maintenant mari et femme devant Dieu et devant les hommes.

Après la cérémonie nuptiale, les époux et leurs témoins se rendirent à la sacristie pour signer le registre paroissial. Comme Alfred ne savait pas écrire, son cousin Bruno dut signer pour lui.

À la sortie de l'église, les époux montèrent dans la voiture et se blottirent, l'un contre l'autre. Alfred, admiratif, trouvait sa femme particulièrement resplendissante dans son manteau de laine. Il lui prit doucement la main.

Adèle leva les yeux et leurs regards se croisèrent. "Comme je vais l'aimer mon homme", pensa-t-elle. Elle se souvint de leur première rencontre l'année précédente. Au sortir de la messe de minuit, il l'avait bousculée et s'était excusé avec de grands gestes maladroits. Tout de suite, ce grand six pieds l'avait conquise.

En apercevant le défilé de traîneaux, les villageois, derrière leurs fenêtres, s'écriaient: "Voilà la noce! Voilà la noce " Adèle, heureuse, les saluait de la main.

Les nouveaux mariés arrivèrent les premiers chez les parents d'Alfred, où avait lieu la réception. Suivant la coutume, le jeune couple embrassa les invités les uns après les autres et les remercia de leurs cadeaux. Ensuite, on passa à table où l'on put donner libre cours à la fête. Du sirop de vinaigre, de la bière d'épinette et du vin de gadelle furent servis pour remplacer les fameuses *liqueurs fortes* car depuis quelques années, les sociétés de tempérance s'étaient établies dans presque toutes les villes et les paroisses du Québec. Le dîner fut bruyant, et la franche gaieté qui régnait dans la maison offrait un superbe tableau des coutumes de l'époque. Lorsque les violons se firent entendre, Alfred et Adèle ouvrirent le bal. Garçons et filles d'honneur les suivirent, et tous les autres emboîtèrent le pas. Cotillons, gigues et galopades furent à l'honneur.

Certains invités, renommés pour leur belle voix, entonnèrent des chansons populaires dont quelques-unes, un peu piquantes, firent rougir les nouveaux mariés.

Dans la pièce voisine, où l'on avait préparé quelques tables de cartes, on joua au quatre-sept, à la crêpe, au gros major, à la brisque.

Les invités rentrèrent chez eux fatigués mais heureux d'avoir participé à une si belle fête. Les jeunes époux purent enfin se retrouver seuls dans une intimité maintenant permise.

A cette époque et même avant, la date du mariage était fixée selon les habitudes de vie. L'église ne préconisait pas les mariages pendant le Carême et l'Avent, où on se devait d'être tout à Dieu. La vie rurale imposait aussi son véto pendant les semences et les moissons. C'est pourquoi les mois de novembre, janvier et février avaient la préférence. Sinon, on se mariait après Pâques et aux mois de septembre et octobre, après les travaux agricoles[1].

Depuis le décès de son père, trois ans auparavant, Adèle habitait, avec sa mère, chez son frère Napoléon, à Saint-Ferdinand. Alfred accepta d'aller y vivre jusqu'au moment où le couple aurait la possibilité de s'établir.

L'été 1877 fut très chaud. La récolte s'annonçait difficile et mince comparativement aux années précédentes. Pour pallier à cette pénurie, Alfred dénicha quelques maigres travaux d'ébénisterie dans les maisons avoisinantes. Pour le jeune ménage, cette année-là en fut une de misère.

En 1878, la compagnie ferroviaire Québec Central prévoyait relier Sherbrooke à Québec en passant par Saint-Ferdinand.

C'était le chemin le plus court et, par conséquent, le plus avantageux pour le commerce entre ces deux villes et, surtout, pour un échange éventuel avec les États-Unis. Le curé Bernier, qui concevait alors de légitimes espérances pour cette entreprise, voulut faire construire une belle et grande maison qui serait destinée au gérant du futur chemin de fer. Profitant d'un de ses sermons, il demanda de l'aide à ses ouailles. Alfred profita de l'occasion pour se faire embaucher comme menuisier. Tous les habitants de Saint-Ferdinand étaient en effervescence devant ce grand projet. Même ceux des villages voisins ressentaient une certaine excitation.

***

L'ABBÉ JULIEN MELCHIOR BERNIER naquit au Cap-Saint-Ignace, comté de Montmagny, le 5 janvier 1825. Il était le fils de Louis Bernier et d'Elizabeth Méthot. Il fit ses études à Sainte-Anne-de-la-Pocatière, à Québec et à Nicolet. Il fut ordonné à Québec le 27 octobre 1850. Vicaire à Saint-Ferdinand (1850-51) avec desserte de Weedon (1850-51), il obtint la cure de Saint-Ferdinand en 1851. En 1853, il fit construire la première église qu'il bénit solennellement en novembre 1854. En 1858, il fit ériger canoniquement et civilement la mission de Saint-Ferdinand. En juillet de la même année, il fonda une Maison de la Charité, ainsi qu'un pensionnat. En 1880 il fonda un collège pour garçons et mit à leur disposition la grande maison qu'il avait fait construire en prévision du chemin de fer, celle-là même qu'Alfred Dubois aida à bâtir.

L'abbé Bernier était un homme de forte corpulence, vigoureux et surtout très politisé pour un curé de campagne. Il était audacieux dans ses entreprises et ne manquait pas de courage.

Il se retira à Lévis en 1886, où il décéda le 8 novembre 1887 à l'âge de 62 ans[2].

***

Le curé Bernier, qui visitait le chantier quotidiennement, aimait circuler parmi les ouvriers pour les encourager. Un jour, *son* contremaître l'approcha:

— Nous commencerons à monter la cheminée d'ici la fin de semaine, Monsieur le curé, ensuite, nous ferons les ouvertures. Les carreaux sont là mais y en a qui sont arrivés brisés. J'en ai commandé d'autres.

Après un court silence, le contremaître continua:

— J'espère que ça prendra pas un mois, comme la dernière fois. Même qu'il en manquait. Ouais! avec vot'train Monsieur le curé, ça va aller ben plus vite. Sauf vot'respect, monsieur le Curé, c'est une maudite bonne idée...

Sans attendre la fin de la phrase d'Hector, le curé renchérit:

— T'as ben raison là-dessus mon Hector. Mais c'est pas seulement de la marchandise que le train va apporter; c'est le progrès. Ça veut dire du travail pour tout le monde. Nos jeunes n'auront plus besoin de partir. Je te le dis, Hector, Saint-Ferdinand va devenir grand et prospère.

— Ça va peut-être éviter à d'autres de partir, mais ça n'a pas empêché mes deux cousins de s'en aller aux États. Les deux ont des *jobs* payantes maintenant.

Cette remarque provoqua la colère du curé.

— Je trouve lamentable que des fidèles des villages environnants partent travailler aux États; tu peux être sûr, Hector, que ça n'arrivera pas dans ma paroisse. J'ai beau lire ce que Monseigneur Gendreau a écrit sur l'immigration des compatriotes disant que des communautés se sont établies au Massachusetts; qu'ils y ont construit des églises, des écoles, des couvents et qu'on y parle le français autant qu'ici, tu me feras pas croire, Hector, que ces gens-là pourraient pas faire la même chose chez eux.

Le curé, qui s'était promis de ne jamais parler d'immigration, réalisa qu'il en avait trop dit. Il quitta prestemment le chantier afin de ne pas susciter davantage la curiosité des ouvriers.

Hector prit Alfred à témoin:

— Quelle mouche le pique? J'ai rien fait pour le choquer. Comprends-tu, toi?

— Non, il trouve peut-être que la construction ne va pas assez vite. Pourtant le train est pas encore arrivé.

Et tout le monde s'esclaffa.

Pendant le souper, Alfred mima et caricatura si bien le minuscule Hector, face au corpulent curé Bernier, que toute la tablée en rit à gorge déployée. Après le repas, les hommes sortirent fumer une pipée sur la galerie tandis que les femmes nettoyaient la cuisine. Adèle les rejoignit et proposa à Alfred de marcher jusqu'au chantier.

En chemin, Alfred expliquait, en gesticulant comme d'habitude, comment il façonnait les moulures de la maison de la gare, mais Adèle ne portait pas attention aux propos de son mari.

Elle lui coupa la parole:

— Dis Alfred, qu'en penses-tu, toi, de ceux qui partent aux États?

Alfred interrompit son geste et regarda sa femme d'un air ahuri.

— Pourquoi tu me demandes ça?

— Tu penses pas que ça pourrait être nous?

— Ben voyons!

— Je trouve qu'on n'est pas beaucoup plus avancé que lorsqu'on s'est marié, continua Adèle. Même si t'as jamais manqué d'ouvrage, il reste que l'argent est rare.

— Oui, mais on n'a jamais manqué de rien. J'ai pas toujours été payé en argent, c'est vrai, mais je rapportais toujours des graines ou de la mangeaille.

— C'est pas ça qui va nous payer une terre.

Alfred ne pouvait nier l'évidence. Il passa un bras autour des épaules de sa femme. Songeurs, ils reprirent le chemin de la maison.

Peu de temps après, la mère d'Adèle lui fit une remarque.

— Ton mari, qu'est-ce qu'il a de ce temps-là? Il ne dit pas un mot, lui qui est si *étriveux* d'habitude, y'é tu malade?

— Je le saurais s'il était malade. Il doit jongler à quelque chose. Faites-vous en pas.

Adèle ne voulait pas le montrer, mais elle aussi commençait à s'impatienter de la jonglerie de son mari. Elle monta dans sa chambre, évitant ainsi d'avoir à répondre à d'autres questions de sa mère.

Il était passé onze heures lorsque Alfred se décida à monter. Il se glissa doucement dans le lit, auprès d'Adèle, et lui chuchota:

— Tu sais, Adèle, ce que tu m'as dit l'autre jour à propos des États. J'y ai ben pensé; c'est pas une mauvaise idée. Mais j'ai des engagements envers ton frère.

— Écoute Alfred, personne ne peut nous en vouloir de partir. C'était clair pour tout le monde qu'on resterait ici juste le temps de pouvoir s'installer chez nous. Mon frère a déjà des grands fils. Ils peuvent l'aider. Il n'a plus besoin de nous. C'est peut-être la chance de notre vie; de toute façon si ça marche pas, on reviendra

— À ce que je vois, il y a longtemps que tu y penses.

— Oui, ça fait longtemps que je jongle à ça. J'ai même pensé qu'on pourrait partir en février. C'est plus près du printemps et ce sera juste un peu avant qu'il y ait trop de nouveaux arrivants là-bas.

— Décidément, t'as vraiment réponse à tout!

Suite à cette conversation, Alfred changea d'attitude: de songeur, il redevint jovial. Au chantier, tous furent heureux du changement, car Alfred était celui qui menait l'humeur. On soupçonna même que les *Sauvages* passeraient bientôt chez les Dubois.

La maison du futur gérant de la gare fut terminée dans les temps prévus, malgré quelques retards de livraison de matériaux, et c'est avec bonheur que les ouvriers fêtèrent le dernier clou planté.

À la fin d'octobre, vint le temps de faire boucherie. Trois ou quatre familles s'assemblaient, et tous participaient au travail. Les hommes tuaient les animaux: ils ébouillantaient les cochons, ils suspendaient les poules et les égorgeaient. Les femmes récoltaient le sang pour le boudin, déplumaient et vidaient les poules. Les enfants ramassaient les plumes pour confectionner des oreillers.

Ceux qui assistaient à la tuerie devaient avoir le coeur solide, car tout n'allait pas sans peine. Quelquefois une bête mal immobilisée se débattait tellement qu'il fallait s'y reprendre à deux fois pour l'abattre. L'événement, malgré son aspect macabre, offrait prétexte à se réunir et à fêter. Ces deux ou trois jours de boucherie se terminaient par un festin mettant à l'honneur cretons, têtes fromagées, boudins, jambons et pâtés. Le tout arrosé de vin de pissenlit, de vin de betterave et de vin fait à partir de noyaux de cerises.

***

Le froid réveilla Adèle. Elle prit son châle et s'approcha de la fenêtre.

— Tiens, il a neigé cette nuit, pensa-t-elle. Mon Dieu que le temps passe vite. Deux mois et demi et février sera là. La famille n'est pas encore au courant de nos projets.

Elle retourna se coucher auprès d'Alfred qui semblait dormir. Elle se nicha au creux de son épaule.

— Il fait froid à matin.

— Oui, c'est tout blanc, dehors. J'ai pas le goût de me lever.

Alfred la serra contre lui, et ils profitèrent de la chaleur du lit.

— On pars-tu toujours en février, Alfred? Il serait peut-être temps de mettre la mère et mon frère au courant.

— Y faudrait ben.

— J'vais y dire, à la mère et je vais tâcher de la rassurer...

Adèle profita du fait que les hommes étaient à l'étable pour parler à sa mère:

— Je me prends une tasse de thé, en voulez-vous une, la mère? Je voudrais aussi vous dire quelque chose.

Toutes les deux s'installèrent au bout de la table, Adèle ne sachant par quoi commencer et Marie ne sachant de quoi il était question. Elles prirent quelques gorgées en silence.

— Vous savez, la mère, ça fait presque trois ans qu'on reste ici. Alfred et moi on trouve que ça va pas assez vite.

— Pas assez vite? Comment, t'es pas ben ici?

— Comprenez-moi ben, on a toujours été ben ici. Mais là, le grand frère n'a plus vraiment besoin de nous. Ses deux gars peuvent l'aider maintenant. Vous et la belle-soeur, vous suffisez largement à la besogne. Vous savez comme moi que ça paye pas fort en argent ici et que ça prend du capital pour s'acheter une terre.

Marie voulut parler mais Adèle s'empressa d'ajouter:

— Laissez-moi finir m'man. Alfred et moi, on a réfléchi et on pense que notre avenir n'est pas nécessairement à Saint-Ferdinand. De toute façon, c'est juste pour se ramasser de l'argent. Après, on va revenir.

— Mais où voulez-vous aller, demanda-t-elle inquiète?

— Il y a beaucoup de monde qui partent aux États. Alfred y trouverait sûrement son compte en ouvrage. Surtout qu'il paraît qu'ils ont besoin de bons menuisiers là-bas.

Les deux femmes, pensives et silencieuses, continuèrent à boire leur thé. Marie se rendit compte qu'elle ne pourrait influencer la décision de sa fille et de son gendre.

— Oui mais, quand allez-vous partir?

Adèle sentit que sa mère acceptait l'idée de leur départ.

— On veut partir en février.

— En plein hiver? Y as-tu pensé?

— C'est peut-être pas le temps idéal, mais Alfred va avoir plus de chance de se trouver quelque chose si on arrive avant tout le monde.

— Peut-être, mais c'est quand même fou, ce départ-là, en plein hiver. L'as-tu dit à ton frère? Je pense pas qu'il approuve.

— On va lui expliquer. J'suis certaine qu'il va comprendre. De toute façon, on peut quand même pas vivre ensemble jusqu'à la fin de nos jours. Lui-même va sûrement être content.

Le retour des hommes mit fin, du moins pour le moment, à la discussion. Cependant, Marie dut se résigner; le départ de sa fille était inévitable.

La nouvelle du départ d'Alfred et d'Adèle se répandit rapidement. Les uns déclaraient qu'il fallait un fameux courage pour tout quitter et s'expatrier si loin, les autres dénonçaient ce geste comme une désertion.

Marie ne tarda pas à avoir des nouvelles du curé Bernier. Le dimanche suivant, alors qu'il entendait sa confession, le prêtre n'hésita pas à lui parler de sa fille et de son gendre.

— Écoute Marie, c'est vrai ce que l'on raconte au sujet de ta fille et de ton gendre?

Marie se sentit coincée. Elle n'eut d'autre choix que de répondre:

— Oui, j'en ai ben peur, monsieur le Curé.

— Ça n'a pas de bon sens Marie! Leur as-tu parlé? Alfred a tellement d'influence auprès des hommes de la paroisse. Si ton gendre part, les autres vont vouloir faire pareil.

— Que voulez-vous monsieur le Curé, j'ai l'impression que leur idée est faite, et ben faite.

Le curé haussa le ton.

— Si le Bon Dieu avait voulu qu'ils partent...

Il s'arrêta net pour ne pas dire des choses qu'il aurait pu regretter.

— En tous cas, dis à ton gendre que je veux le voir au presbytère demain avant les vêpres.

Alfred, appréhendant sa rencontre avec le curé, se présenta au presbytère une demi-heure avant le rendez-vous. Il voulait limiter le temps des explications. Mais hélas! la discussion aurait lieu au gré du curé. Ce dernier, déjà parti dire la messe, avait ordonné à son bedeau de faire patienter Alfred jusqu'à son retour.

— J'regrette Alfred, mais c'est les ordres de monsieur le Curé.

— Ça ne fait rien, dit-il, je vais attendre.

Alfred avait pris sa décision. Il saurait bien le faire comprendre au curé. Le curé Bernier avait décidé, la veille, pour faire sentir sa désapprobation, qu'il prendrait tout son temps pour célébrer sa messe. Les paroissiens, même les plus dévots, remarquèrent que monsieur le Curé était bien lent ce soir-là.

Alfred s'impatientait. Debout près de la fenêtre, il triturait son chapeau. Il était huit heures et quart lorsqu'il entendit les pas du curé. Celui-ci entra sans mot dire et, sans quitter Alfred des yeux, s'assit derrière son bureau.

Sans laisser le temps au prêtre de prendre le contrôle de la conversation, Alfred prit une grande respiration et, tout d'un souffle, dit:

— Je sais que vous n'êtes pas d'accord, monsieur le Curé, mais on a décidé de partir avec ou sans votre bénédiction; j'ai l'ambition d'acheter une terre, mais c'est pas avec ce que je gagne par ici que je l'aurai. C'est pour ça qu'on part. Sauf vot' respect monsieur le Curé.

— Je vois que je n'ai rien à dire, reprit le curé. Alors bonsoir.

— Bonsoir monsieur le Curé. J'espère que vous allez me comprendre, dit Alfred culpabilisé par l'attitude du Curé.

Le départ des Dubois continua à provoquer tout un brouhaha au village. Les pour et les contre s'affrontèrent à un point tel que cela causa des brouilles entre les familles. Le curé, devant l'ampleur des événements, dut s'interposer dans cette pagaille. Du haut de sa chaire, il exhorta ses ouailles à faire preuve d'indulgence envers leur prochain. Finalement, les choses se calmèrent avec l'arrivée des grands froids qui imposa une trêve salutaire au jeune couple.

1. Abbé Charles-Edouard Mailhot, Les Bois-Francs, Imprimerie Arthabaskaville. 1914.

2 Abbé J.-B.A. Allaire, Dictionnaire biographique du clergé canadien-français. Imprimerie de l'Ecole catholique des sourds-muets. 1910. page 49.

CHAPITRE DEUXIEME

Le grand départ

JOHN MCTAVISH, VENDEUR ITINÉRANT et grand buveur de whisky, était le porteur de nouvelles et, aussi, le raconteur par excellence. C'était un homme hors du commun qui mesurait six pieds, avait les cheveux roux et s'exclamait d'une voix tonitruante qu'on entendait de loin. Lorsque McTavish venait à St-Ferdinand, il avait l'habitude de s'installer chez le forgeron.

A cette époque, la forge était le lieu de ralliement de tout ce qui portait culotte et McTavish y trouvait toujours un auditoire. Les hommes du village s'y donnaient implicitement rendez-vous. Ils s'installaient autour d'un gros poêle qu'on appelait «la truie» et fumaient du tabac du pays en se racontant les potins du village. Il y avait en permanence un crachoir pour les chiqueux et un couteau pour hacher les feuilles de tabac.

McTavish leur apportait l'exotisme. Il avait toujours quelques anecdotes ou histoires inusitées à raconter. Cette fois-ci, ce qu'il racontait aux villageois dépassait leur entendement. En effet, aux États-Unis, des gens se faisaient dessiner toutes sortes de figures, de lettres, de paysages sur le corps et ces dessins y restaient gravés le restant de leur vie.

— Tu n'inventes pas un peu McTavish, dit le forgeron?

— Non, reprit McTavish, je te le dis. J'en ai même vu. Un dénommé Frank de Burgh a le nom de sa femme *Emma* gravé sur son ventre et, sur sa poitrine, le dessin d'une jeune fille tenant une banderole sur laquelle est écrit: *Ne m'oubliez pas.* Quant à sa femme, elle porte un tatouage sur ses épaules qui montre le Christ et ses Apôtres à la table sainte. J'ai vu tout ça dans un cirque.

— Comment y font ça, demanda Alfred, curieux.

— Les de Burgh racontent que les frères Riley utilisent des baguettes terminées par des aiguilles de différentes grosseurs, ainsi que des petites seringues en argent. Au début, ils dessinent avec des pinceaux. Ensuite ils grattent les lignes jusqu'au sang. Ils laissent les plaies ouvertes quelques heures et les enduisent de couleur. La teinte reste même après la cicatrisation.

— Pouaf! ils m'auraient pas, dit Alfred, ça doit faire mal en maudit ce truc là?

— Oui, reprit McTavish, il paraît que c'est très souffrant. D'autant plus que le mauvais doit se mettre dedans des fois.

— En tous cas, moi, dit le forgeron, je suis pas sûr de te croire. Tu peux nous dire n'importe quoi, y'a jamais personne qui peut te contredire.

— Tu me prends pour un menteur? et ben mets ça dans ta pipe le vieux, dit-il en sortant de sa poche, une coupure de journal toute racornie.

On y voyait l'annonce du cirque ainsi que la photo des de Burgh. La feuille passa d'une main à l'autre et chacun y alla de son commentaire.

— Alors, je suis un menteur, hein? dit McTavish fier de son succès. Demande-moi pardon mon vieux hibou.

Chacun prit beaucoup de plaisir à voir la tête du forgeron.

— Ça jamais, McTavish! J'aime autant aller en enfer. De toute façon ça va être réellement l'enfer car tu vas y être aussi.

Tous rirent de cette boutade car ils connaissaient bien l'amitié qui liait les deux hommes.

Plus tard, lorsque tous et chacun furent partis à leurs occupations, Alfred entreprit une partie de dames avec McTavish. Ils s'installèrent dans un petit coin de la forge réservé à cet effet.

— J'ai entendu dire que tu veux partir aux États, mon Alfred?

— Oui, c'est vrai.

— Y paraît que tu amènes ta femme aussi?

— Oui, c'est vrai.

— Tu veux partir en février? Une créature sur les grands chemins en plein hiver, ça c'est pas vu souvent.

— Peut-être ben, mais Adèle n'est pas si frêle que ça. Elle vaut bien des hommes. Elle est aussi décidée que moi à partir.

— Comment tu penses te rendre là-bas?

— J'avais pensé à toi. Tu connais le chemin et les risques.

— Peut-être ben. Mais c'est une grosse responsabilité. J'ai pas l'habitude d'avoir des compagnons de route, encore moins une femme.

— Si je te le demande, c'est que t'es le seul qui peut nous aider.

— Peut-être ben que oui, peut-être ben que non. Laisse-moi réfléchir à tout ça . Mais écoute, si je dis oui, y faudra que ce soit ben clair: s'il vous arrivait quelque chose en chemin, je vous laisserais à un village et je continuerais tout seul.

— J'accepte tes conditions! Marché conclu?

— Marché conclu, répondit Mc Tavish en serrant la main d'Alfred.

Il fut convenu que le voyageur roux passerait à Saint-Ferdinand chercher les Dubois après sa tournée des villages. Entre-temps, Alfred et Adèle prépareraient leurs bagages Ce fut chose facile, car ils ne possédaient que quelques effets personnels. Adèle sortit de ses malles de jeune fille quelques ustensiles et articles de maison pouvant lui être utiles une fois installée aux «États». Elle n'avait pas eu à ouvrir ses malles souvent depuis son mariage. En effet, sa belle-soeur et sa mère possédaient déjà tout ce dont elles avaient besoin pour tenir maison. Quand à Alfred, il emporterait ses outils.

À son retour, McTavish constata, avec satisfaction, que les deux jeunes gens avaient limité leurs bagages à quelques valises. Elles furent empilées tout près de la porte en prévision du départ prévu très tôt le lendemain matin, Marie et sa belle-fille préparèrent quelques provisions pour les voyageurs. Cette nuit-là, le jeune couple eut peine à trouver le sommeil. Adèle, lasse de tournailler dans son lit, se leva pour mettre du bois dans le poêle. L'horloge sonna un coup et Adèle réalisa qu'il était déjà quatre heures et demie et que ça ne valait plus la peine de se recoucher. Elle contemplait tout ce qui l'entourait en se demandant combien de temps s'écoulerait avant qu'elle ne revienne.

Elle entendit remuer à l'étage et prépara du thé. Alfred descendit arborant un sourire radieux. Il était prêt à partir.

— Comment te sens-tu, as-tu dormi?

— Pas beaucoup, dit-elle, tiens, ton thé est prêt.

— Je suis content de partir, je suis certain que ça va bien aller .

Ils entendirent les clochettes du traîneau de McTavish. Alfred sortit à sa rencontre. Il mit une couverture sur le dos du cheval et fit entrer son ami dans la cuisine. Toute la maisonnée était sur les dents. La mère et la belle-soeur étaient au poêle à préparer le déjeuner, mais elles n'avaient pas le coeur à l'ouvrage.

— Ça va être froid aujourd'hui, madame Dubois, dit McTavish. J'espère que vous ne me trouverez pas déplacé si je vous conseille de porter des pantalons. Vous aurez plus chaud et vous serez plus à l'aise.

— Mais je n'ai pas de pantalon, monsieur McTavish.

Charles, l'aîné de Napoléon, offrit de dépanner sa tante:

— Maman, on pourrait lui donner mes vieilles culottes du dimanche. Elles ne me font plus de toute façon.

— Ça va te donner l'occasion d'en avoir des neuves, hein, finfinaud.

Adèle monta donc se changer.

Pendant ce temps, les hommes placèrent les valises dans le traîneau en y réservant une petite place, avec des couvertures, pour Adèle. Puis, ce fut l'heure triste des adieux. On ne savait combien de temps passerait avant de se revoir. Marie fit promettre à Adèle de lui écrire dès son arrivée et, discrètement, lui remit une enveloppe en papier manille.

Le traîneau se mit en branle. Adèle s'essuya les yeux. Maintenant elle ne devait penser qu'à l'avenir. McTavish, si babillard d'habitude, voulut respecter le mutisme de ses deux compagnons et demeura coi.

Le début du voyage fut sans histoire. Mais, au deuxième jour, le vent monta et la neige se mit à tomber. En l'espace d'une heure, la tempête avait pris tellement d'ampleur que McTavish avait fort à faire pour rester sur le chemin. La jument avait de plus en plus de difficultés à franchir les lames de neige. Adèle se cachait sous ses couvertures.

Alfred, que l'inquiétude gagnait, essayait de se protéger du froid et de la neige du mieux qu'il pouvait. "Tout allait si bien jusqu'à maintenant, plus qu'une seule journée de route et voilà cette fichue tempête qui va nous retarder", pensa-t-il.

— Je crains bien que nous ne pourrons pousser la jument encore bien longtemps, lui dit McTavish. Si on pouvait se rendre jusqu'à la Crique du chien. Là, il y a une brèche dans la montagne d'où l'on pourrait attendre la fin de la tempête.

Alfred descendit du traîneau et alla devant la jument. Tout en tenant le mors, il encourageait la bête à tirer sa charge.

Peine perdue. La jument n'avançait plus.

— Nous n'avons pas le choix. Alfred, va dételer; on va continuer à pied.

McTavish aida Adèle à descendre. Il prit les couvertures et les provisions et avec Alfred solidifia la bâche qui recouvrait le traîneau.

— On reviendra plus tard.

Ils installèrent Adèle sur le cheval et se mirent en route. McTavish décida de couper à travers bois pour arriver plus vite à la montagne. La forêt les abritait du vent mais la neige profonde ralentissait leur progression. La jument devait faire de grands sauts pour avancer et Adèle avait peine à se maintenir en selle. Elle dut faire le reste du trajet à pied; heureusement qu'elle avait suivi le conseil de McTavish de porter le pantalon.

— Surtout restez derrière, ce n'est plus très loin, criait McTavish pour se faire entendre.

Au bout d'une demi-heure, Adèle et Alfred, épuisés, virent McTavish disparaître dans la montagne. Il réapparut aussitôt et vint à leur rencontre.

— Venez, nous sommes rendus.

Enfin à l'abri, Adèle et Alfred, à bout de souffle, s'affalèrent sur le sol. McTavish installa la jument au fond de la grotte. Il retourna dans la tempête et rapporta quelques branches pour faire du feu.

— La tempête semble être prise pour longtemps, dit Alfred, mais au moins, on est à l'abri. On dirait que la grotte a déjà été utilisée. C'est plein de bois mort éparpillé.

— Oui, dit McTavish, les indiens l'utilisaient dans le temps. Maintenant ce sont les voyageurs, comme nous, qui s'y arrêtent.

McTavish ouvrit le sac à provisions et leur donna du lard et du pain, puis il s'assit et mangea tout en attisant le feu.

— Mieux vaut dormir maintenant, dit-il, car il va falloir déneiger le traîneau. Le parcours va être plus difficile à cause de la neige molle qui s'accumule.

Lorsque McTavish s'éveilla, le vent s'était calmé. Il sortit et constata avec stupeur que la malchance ne les avait pas quittés pour autant. La neige s'était changée en pluie verglaçante.

Adèle se réveilla à son tour et vit l'air consterné de McTavish.

— Que se passe-t-il, monsieur McTavish?

— La neige s'est changée en pluie.

— Oh! non!

— Ne vous en faites pas ma petite Madame. On va passer la nuit ici et demain on repartira. En attendant, je vais vérifier le traîneau.

— Vous allez quand même pas partir par ce temps?

— Oh! vous savez, j'en ai vu bien d'autres et pis oubliez pas que je gagne ma vie avec la marchandise qui est restée là. Bon, j'y vais si je veux être de retour avant la nuit. Ménagez les provisions, on peut en avoir besoin pour plus longtemps.

Il partit sur la jument.

Adèle réveilla son mari et lui expliqua la situation.

— Ouais, c'est pas bien drôle! Pauvre McTavish, il fait un fichu métier.

McTavish revint, au bout d'une heure, trempé jusqu'aux os.

— Alors, qu'est-ce que ça dit?

— Pas fameux, il va falloir dégager le traîneau. Alfred et moi partirons très tôt demain. Vous, ma p'tite dame, vous allez nous attendre ici.

— Il n'en est pas question, je suis certaine que je serai utile. Je veux vous accompagner.

McTavish regarda Alfred qui haussa les épaules.

— Adèle a été très courageuse en marchant jusqu'ici. De toute façon, on perdrait un temps fou à revenir la chercher.

— D'accord, comme vous voudrez. Mais en attendant, je vous suggère de vous reposer car demain, ça va être une dure journée.

Le lendemain, ils partirent après avoir mangé. Le sol était recouvert d'une épaisse croûte de glace. Le soleil, comme souvent après une tempête, brillait de tous ses feux et faisait étinceler les arbres couverts de givre.

Ils se rendirent au traîneau et se mirent à le déneiger. À cause de l'épaisse croûte de glace qui recouvrait la neige, la jument dut travailler très fort. Adèle s'installa, prit les rênes et McTavish se mit à tirer le mors de la bête pour la diriger. Alfred dégageait le surplus de glace qui s'accumulait devant les patins du traîneau.

Ils arrivèrent à Sherbrooke à la tombée de la nuit. McTavish déposa le couple à l'auberge et s'en retourna chez lui. Il était parti depuis plus d'un mois et avait hâte de retrouver sa famille.

L'aubergiste offrit aux voyageurs de leur préparer un repas, mais ceux-ci, trop fatigués, refusèrent. Tout ce qu'ils souhaitaient, c'était un bon lit.

Leur refus déçut l'aubergiste, un homme curieux, qui aurait bien aimé savoir d'où venait ce jeune couple arrivé en même temps que McTavish.

Alfred se réveilla le premier. Il n'osa pas trop bouger pour ne pas réveiller sa femme qui semblait dormir profondément.

— J'espère qu'on s'est pas trompé en prenant cette décision, pensa-t-il. Pauvre Adèle, elle semblait si épuisée hier.

Il lui releva une mèche de cheveux. Les traits d'Adèle étaient détendus. Il se pencha pour l'embrasser.

Adèle ouvrit les yeux.

— Bonjour, es-tu un peu reposée?

— Oui, mais je t'avoue qu'hier j'en menais pas large.

— Moi non plus.

— J'ai faim, Alfred. On descend déjeuner?

— Oui mais... (Il l'embrasse sur le bout du nez) je t'aime...

— Moi aussi, je t'aime Alfred.

Elle se leva et sortit de son baluchon l'enveloppe que lui avait remise sa mère.

— Qu'est-ce que c'est?

— C'est maman qui me l'a remise en partant. Je n'ai pas eu le temps de regarder encore. Ce sont peut-être des photos.

Tu connais la mère, sous ses airs sévères, elle est sensible comme une enfant.

— Oh! regarde! c'est de l'argent. Il y a une note. «Ma très chère fille, j'espère que tout ira bien pour vous. Je prierai Saint Joseph tous les jours pour qu'il vous protège. Soyez prudents. Déjà vous me manquez. Ta mère qui vous aime.»

Adèle étouffa un sanglot. Comme elle se sentait loin tout d'un coup.

— Comment ta mère a-t-elle pu ramasser tout ça. Il y a presque vingt-cinq dollars.

— Maman a toujours fait des miracles quand il s'agissait d'économiser. Je me souviens quand papa était là, il disait: «Un jour vot' mère sera très riche et il va falloir l'appeler Madame.» Maman lui donnait un coup de tablier en disant: «Vieux fou, arrête avec tes étrivages.»

— Allons, viens mon Adèle, on va déjeuner.

L'aubergiste les voyant descendre s'empressa de leur préparer une table.

— Bonjour M'sieu Dame, bien dormi?

— Oui très bien, merci. Nous avons faim.

— Vot' thé est déjà servi. Ma fille va vous apporter vot' déjeuner. Vous semblez avoir fait une bonne route hier. Vous avez été pris dans la tempête?

Alfred lui raconta leur voyage.

— Ouais, remarquez qu'avec McTavish vous ne pouviez être en meilleures mains. C'est un homme assez extraordinaire. Mais d'où est-ce que vous venez comme ça?

— De Saint-Ferdinand d'Halifax.

— Ah oui! J'ai connu quelqu'un de là-bas. Attendez... c'est un dénommé Roy, c'est ça, Frédéric Roy.

— On le connait très bien. C'est un ami de longue date. Il a même été témoin à not' mariage.

— Eh ben! J'étais allé faire la drave sur la Saint-Maurice. Je l'ai connu là-bas; y'était pas vieux dans ce temps-là, il avait peut-être quinze ou seize ans.

Alfred et Adèle dévorèrent le copieux déjeuner que leur servit la fille de l'aubergiste.

— Il va falloir s'informer pour le train, dit Adèle.

Elle terminait son thé, lorsque la fille vint desservir.

— Savez-vous l'heure du train pour Portland?

— Pauv' Madame, je sais même pas si vous allez pouvoir le prendre. Ici, c'est surtout pour les marchandises. Y'a bien un wagon mais il est réservé pour les soldats et les dignitaires comme y disent.

Alfred et Adèle, étaient abasourdis. Était-il possible qu'ils se soient rendus à Sherbrooke pour rien?

Au même instant, arriva McTavish.

— Bonjour la compagnie. Comment ça va?

Alfred et Adèle, toujours sous le choc, ne répondaient pas.

— Eh ben! qu'est-ce qui se passe?

Adèle éclata en sanglot.

— Ben voyons, ma p'tite dame, qu'est-ce qu'il y a?

Il s'assit à leur table et Alfred lui répéta ce que la jeune fille venait de leur dire.

— Torrieux, ça n'a pas de bon sens; mettez vos bougrines; on va aller voir ça!

Ils partirent tous les trois. McTavish, en avant, parlait tout seul. Il avait pris ces deux jeunes en amitié. Leur courage et leur détermination l'avaient impressionné et il était résolu à continuer de les aider.

Les Dubois se tenaient par la main et suivaient avec peine le gaillard aux grandes jambes.

— T'en fais pas Adèle, on aura pas fait tout ce chemin pour rien. Le Bon Dieu peut pas nous faire ça; McTavish ne Le laissera pas faire.

— Alfred, ne blasphème pas! Elle se signa comme pour effacer les paroles de son mari.

Le chef de gare leur confirma que le train était un convoi de marchandises. Un seul wagon, quand il y en avait un, était réservé pour les voyageurs. Mais les priorités allaient aux dignitaires, ensuite aux soldats et, s'il restait des places, aux civils.

Le départ avait lieu à huit heures tous les matins. Malheureusement, tout était complet pour cette journée-là, car une délégation du gouvernement partait le matin même pour Portland. Peut-être y aurait-il de la place le lendemain, mais il faudrait revenir pour vérifier.

Alfred et Adèle étaient déçus. Leurs moyens financiers étaient limités et, malgré le cadeau qu'ils avaient reçu, ils ne pouvaient envisager un séjour prolongé à Sherbrooke.

McTavish, voyant leur mine déconfite et devinant leurs pensées, leur proposa d'habiter chez lui jusqu'à leur départ.

— C'est très gentil de vot' part, mais on abuserait de vous.

— Mais non, mais non, ma p'tite dame, y'a pas de trouble. D'autant plus que j'ai trouvé très agréable de voyager avec vous deux. Étant habitué tout seul, j'appréhendais de faire de la route avec quelqu'un d'autre, mais j'avoue que ce voyage-là a été beaucoup moins ennuyant que d'habitude.

Les Dubois se regardèrent.

— Non merci, Harry (c'était la première fois qu'Alfred appelait McTavish par son prénom) nous sommes très reconnaissants de tout ce que vous avez fait pour nous, mais maintenant on doit se débrouiller seuls.

— D'accord, je comprends ben ça. En attendant, ma femme m'a fait promettre de vous inviter à souper ce soir.

— Nous acceptons avec plaisir, dit Alfred

Quand l'aubergiste les vit revenir, il sut à leur mine déconfite, que les jeunes gens étaient déçus. Il s'empressa de leur servir un bon thé pour les regaillardir.

— Il n'y avait pas de place dans le train?

— Non. Il y a une délégation du Gouvernement qui s'en va à Portland. Nous devrons retourner à la gare chaque jour pour savoir s'il y a de la place.

— Vous savez, Monsieur, dit Adèle, nous ne pouvons rester ici indéfiniment. Ça grugerait toutes nos économies. Aussi, je pensais que, si vous pouviez m'embaucher pour la cuisine, ça compenserait pour payer une partie de nos dépenses chez-vous.

Alfred, surpris par la proposition de sa femme, fut encore

une fois épaté de la facilité avec laquelle elle retombait sur ses pieds. Il s'empressa d'ajouter:

— Et moi je pourrais faire différents travaux: couper le bois, réparer, transporter les caisses et les sacs de farine.

L'aubergiste se gratta l'oreille:

— Normalement, ma fille et moi suffisons à la tâche mais je trouverais sûrement des choses à faire faire en prévision du printemps car, à cette époque de l'année, il y a beaucoup de voyageurs.

Après quelques secondes de réflexion:

— D'accord, je vous engage.

Chapitre Troisieme

Pittsfield, Massachusetts

Le voyage entre Sherbrooke et Portland dura plus de vingt-quatre heures. Normalement, le train ne stoppait que pour faire provision de charbon et d'eau, mais à cause de la saison, il dut s'arrêter plusieurs fois en cours de route, le temps que les cheminots dégagent, à la pelle, les bancs de neige qui encombraient la voie. À Portland, dans le New-Hampshire, les Dubois, bagages en mains, s'empressèrent de franchir les rails et de sauter dans un autre train à destination de Pittsfield au Massachussett, pour la dernière étape de ce long voyage.

Adèle et Alfred arrivèrent à Pittsfield vers la fin de l'après-midi. Ils étaient fatigués, affamés et faisaient pitié à voir mais ils étaient heureux d'être enfin arrivés.

Près de six semaines s'étaient écoulées depuis leur départ de Saint-Ferdinand, mais en entendant parler français dans la gare, ils eurent l'impression pendant un moment, d'être encore au Québec. Cependant, lorsqu'ils virent le décor qui s'offrait à eux, ils se sentirent vraiment éloignés de leur village.

Une grande activité régnait dans la rue: des hommes marchaient rapidement vers leur travail; d'autres, dans un grand tintamarre installaient sur des chariots les caisses débarquées du train. Les cheminées fumantes des nombreuses usines semblaient sortir tout droit des contes pour enfants.

Les Dubois étaient ébahis par ce spectacle des plus impressionnants mais la faim les ramena à la réalité. Ils décidèrent donc de manger et ensuite de s'informer d'un endroit où se loger.

Le chef de gare se montra amical et leur proposa de demeurer chez lui: sa femme louait des chambres.

— Je m'appelle Hector Lebreton. Je finis mon quart bientôt. Prenez le temps d'aller manger à la cantine. J'irai vous rejoindre dans une vingtaine de minutes.

Hector conduisit ses nouveaux pensionnaires chez lui. Amélie était bien placée pour comprendre les nouveaux arrivants car son mari et elle avaient vécu les mêmes émotions quelques années plus tôt. Elle leur fit visiter la maison et leur montra leur chambre.

Hector et Amélie se rappelaient comment leur adaptation avait été difficile. Aussi décidèrent-ils d'aider les Dubois. Dans la soirée, Hector discuta avec Alfred des possibilités d'embauche à Pittsfield.

— Je vais voir ce que je peux trouver, je vais chercher dans les filatures ou les usines, mais attends-toi pas à trouver du travail rapidement. Pour tout de suite, il y a des choses que tu pourrais faire à la maison, t'auras qu'à demander à Amélie.

Amélie confia à Alfred quelques meubles à réparer et lui fit de la publicité auprès de ses voisines. Ces travaux, bien que peu rémunérateurs, permettaient au jeune couple de préserver leurs économies.

Les Dubois logeaient chez les Lebreton depuis bientôt deux semaines lorsque Hector arriva, un soir, porteur de bonnes nouvelles.

— Alfred, je t'ai peut-être trouvé quelque chose. On engage actuellement à la filature de coton, celle au bout de Main Street. Tu devrais avoir des chances. Je connais le contremaître. Je lui ai dit que tu étais fiable. Maintenant, c'est à toi de jouer.

Alfred se présenta à la filature dès six heures le lendemain matin. On l'embaucha sur le champ et on le chargea de la surveillance de quatre métiers à tisser. Il devait empêcher les fils, tendus sur les énormes machines, de s'entremêler. Ce n'était pas un travail de tout repos: la poussière de coton obligeait Alfred à porter un masque pendant son travail; les fils coupants qu'il devait lisser, à tout moment, lui écorchaient la peau des mains; le bruit assourdissant des métiers à tisser obligeait les ouvriers à hurler pour communiquer entre eux. Mais la difficulté du travail importait peu à Alfred, car il avait enfin une *job*.

Adèle dénicha un emploi de cuisinière chez une famille aisée de Pittsfield.

Le couple ne parlait jamais de Saint-Ferdinand. Adèle, en arrivant à Pittsfield, avait bien écrit aux familles comme convenu, mais après quelques mois, les lettres s'étaient faites rares et les nouvelles de moins en moins explicites. Le soir, après une journée de dur labeur, Adèle et Alfred appréciaient le calme d'un feu de bois en compagnie des Lebreton.

Tout comme à Saint-Ferdinand, les Dubois vivaient en cohabitation mais, cette fois-ci, ils payaient chaque semaine leur chambre et pouvaient espérer qu'un jour, ils pourraient acquérir un logement bien à eux.

Une année s'écoula. Hector proposa aux Dubois, qu'il considérait comme des amis, de leur louer la moitié de sa maison.

— T'es adroit de tes mains, Alfred. La maison est assez grande pour être divisée. Tu sais, Amélie a fort à faire avec les enfants, et tenir des chambres est devenu trop dur pour elle.

Alfred accueillit favorablement la proposition, bien qu'il la trouvât farfelue et hors de l'ordinaire. Adèle, aussi, trouva l'idée fameuse: de cette façon elle resterait proche de son amie.

La maison fut donc divisée et rénovée et, après une année et demie aux Etats, les Dubois avaient enfin leur chez-soi.

Un soir de juillet, à son retour du travail, Alfred vit quelque chose qui le combla de joie: un petit panier qu'Adèle avait capitonné avec soin, installé bien en vue près du lit, annonçait du nouveau dans la maison. Adèle lui confirma que l'enfant naîtrait à la fin de février.

— Quand je l'ai dit à Amélie, elle m'a répondu que j'attendais d'avoir ma place à moi pour commencer ma famille. Je crois qu'elle avait raison.

On s'affaira comme d'habitude aux préparatifs d'automne, mais avec un regain d'énergie en vue de l'événement prochain. Adèle décida même de recevoir les Lebreton pour les fêtes.

Pour respecter les moeurs de l'époque, Adèle dut quitter son emploi dès le septième mois de sa grossesse. Ce congé forcé lui permit, malgré son gros ventre, de cuisiner avec soin toutes sortes de bonnes choses pour ses amis.

— Que les Fêtes sont agréables cette année, se dit-elle. Je suis comblée et je le serai encore plus dans quelques semaines.

Elle se toucha le ventre.

— Tu seras la plus belle des petites filles, mon Élisabeth.

— À qui parles-tu donc? demanda Alfred en franchissant la porte. C'est qui Élisabeth?

— C'est ta fille, voyons; celle que tu vas avoir. Elle s'appellera Élisabeth.

— Qui t'a dit que ce sera une fille?

— Je le sens. J'en suis certaine. madame Leblanc me l'a dit parce que je porte haut.

— D'accord, si tu veux. Mais si ton Élisabeth vient au monde en petit gars, que vas-tu lui dire?

Adèle allait répliquer...

— Bon, bon d'accord! Ça sera une petite Lésy, s'empressa de dire Alfred en riant.

La famille Lebreton arriva les bras chargés de cadeaux. Adèle et Alfred, après avoir disposé les présents au pied du sapin de Noël, accompagnèrent leurs amis à la messe de minuit.

On avait installé une crèche dans la grande salle de l'hôtel de ville de Pittsfield pour la célébration de l'office religieux. Lorsque la chorale d'enfants entonna le Minuit Chrétien, une forte émotion parcourut la petite communauté francophone et la nostalgie du pays envahit chacun des assistants.

N'ayant pas de cloches pour carillonner la naissance du Christ, le curé avait fait distribuer des clochettes aux enfants de la chorale et, lorsque le *Ite missa est* fut prononcé, ceux-ci les firent tinter de toutes leurs forces.Fidèles à la tradition, les paroissiens s'échangèrent des voeux.

Les Dubois et les Lebreton revinrent rapidement à la maison car les enfants avaient hâte de recevoir leurs étrennes. Ils procédèrent donc, au grand plaisir des petits, à l'échange des cadeaux avant de passer à table.

Amélie offrit à Alfred une veste de laine qu'elle avait tricotée et à Adèle une courtepointe pour son futur bébé. Chacun des petits Lebreton eut droit à une tête de cheval, en bois, montée sur une tige. Alfred avait réalisé, à partir de simples retailes de bois, de véritables petits chefs-d'oeuvre. Il avait également fabriqué un hache-tabac qu'il destinait à Hector. Quant à Amélie, elle reçut une pièce d'étamine.

Ensuite ils firent honneur au réveillon d'Adèle. Les enfants en redemandaient. Les rires et les cris de joie fusèrent pendant une bonne partie de la nuit. Lorsqu'il fut temps de partir, Amélie remarqua qu'Adèle avait les joues rouges et que de légères gouttes de sueur perlaient sur son front.

— Pauvre Adèle, je crois qu'on a abusé de ta résistance.

— Non, non, mon amie! Je suis fatiguée mais tellement heureuse d'avoir pu vous recevoir. Ne t'en fais pas.

— Merci encore pour le repas et les cadeaux. Dors bien, Adèle.

***

À la fin de février, Amélie vint aider Adèle à mettre son enfant au monde. Tout se passa bien et Adèle accoucha d'une jolie petite fille blonde. Le poupon, poussant de hauts cris pour réclamer son dû, se mit à boire goulûment dès qu'Adèle lui présenta le sein. L'enfant fut baptisée à l'Église Notre-Dame de Pittsfield. On se conforma au désir d'Adèle et on l'appela Élisabeth. Alfred, heureux d'être père, fabriqua un joli petit *ber* en bois pour sa fille.

Les mois passèrent, s'écoulant en journées douces et heureuses. Adèle, qui ne travaillait plus comme cuisinière, put s'occuper uniquement de la petite Lézy, sa petite blondinette qu'elle aimait tant. Celle-ci trottinait partout et, malgré ses dix mois, réclamait sans cesse d'être lavée dès que ses mains ou sa robe étaient un peu souillées. Les enfants Lebreton qui l'avaient adoptée, telle une soeur, la surnommaient: «Petite Princesse».

Alfred fut nommé contremaître à la filature et gagnait suffisamment d'argent pour bien faire vivre sa famille, et même en mettre de côté. Ses problèmes d'asthme avaient cessé depuis qu'il «avait quitté le plancher», comme il disait.

Avec l'hiver 1882, apparurent les premières manifestations d'une crise économique grave. À la filature, comme partout ailleurs, on effectuait de nombreuses mises à pied. On parlait de fermer l'usine.Bien que son poste ne fût pas menacé dans l'immédiat, Alfred n'était pas sans savoir que son tour viendrait tôt ou tard. C'est alors qu'il envisagea de rentrer au pays. Il en fit part à son ami Hector.

— Quand prévois-tu partir?

— Adèle qui va accoucher au printemps, il serait préférable de partir à l'été.

— Amélie et les enfants vont avoir beaucoup de peine.

— Oui, Adèle aussi. Mais pourquoi ne reviendrais-tu pas au pays toi aussi?

— Non, moi je reste. J'ai ma maison. Mes enfants sont tous nés ici. Et puis, il y aura toujours des trains qui arriveront à la gare. Ma *job* n'est pas vraiment en jeu.

Alfred et Hector étaient devenus des amis. Ils étaient tristes de se quitter mais ni l'un ni l'autre n'osait l'avouer.

Adèle mit sa deuxième fille au monde au printemps. On la baptisa Aurore. Lésy jubilait d'avoir *un bébé*; elle voulait même partager sa tartine.

Les Dubois discutèrent longuement de l'endroit où ils s'établiraient de nouveau. Ils n'avaient pas vraiment le goût de retourner à Saint-Ferdinand. Après mûres réflexions, ils choisirent Montréal. C'était une ville en pleine expansion et Alfred y trouverait plus facilement du travail.

Hector écrivit à un ami de son père qui habitait Montréal pour lui parler d'Alfred. Il reçut une réponse de ce monsieur Perreault lui disant qu'il serait heureux d'accueillir les Dubois.

Le souper d'adieux fut triste et silencieux. La petite Lésy, âgée de seize mois et habituellement si enjouée, demeura calme tout le temps du repas. Elle semblait comprendre qu'un événement important se passait.

À l'été 1883, pour la deuxième fois en trois ans, Alfred et Adèle plièrent bagages et partirent vers une nouvelle aventure. Contrairement à la fois précédente, ils étaient plus à l'aise financièrement mais surtout, ils s'étaient enrichis de deux belles petites filles.

CHAPITRE QUATRIEME

Retour au pays

LES DUBOIS ARRIVERENT À MONTRÉAL en meilleur forme que lors de leur premier voyage de Saint-Ferdinand à Pittsfield.

Adèle, avec le bébé dans les bras, prit la main de Lézy pour descendre du train tandis qu'Alfred récupérait les bagages.

Lorsqu'ils furent tous les quatre sur le quai, ils cherchèrent monsieur Perreault qui devait porter une écharpe blanche pour se faire reconnaître. Lézy qui avait été très sage tout le long du voyage, gigotait d'impatience, et Adèle dut sévir.

— Lézy reste tranquille.

— Où le monsieur, maman?

— Je ne sais pas Lézy, y'a beaucoup de monde, c'est pas facile de le trouver.

— Le vois-tu Alfred?

— Non, mais je vais aller voir à l'intérieur.

— Moi aussi, papa.

Alfred partit avec sa fille et fit le tour de la gare.

Adèle, seule sur le quai avec le bébé qui manifestait sa faim en se trémoussant de plus en plus, s'impatientait lorsqu'elle vit accourir vers elle un gros monsieur agitant une écharpe blanche.

— Bonjour, êtes-vous madame Dubois?

— Et vous, monsieur Perreault?

— Je m'excuse d'être en retard, dit le gros monsieur, tout essoufflé.

— Mon mari vous cherche à l'intérieur. Tiens, le voilà justement!

Monsieur. Perreault lui tendit la main:

— Je suis confus, monsieur Dubois, j'ai été retardé. Venez, mon attelage est de l'autre côté, dit-il en saisissant les bagages.

L'homme leur fit visiter la ville. Adèle, épuisée, aurait voulu se rendre directement chez les Perreault mais leur hôte s'acharnait à leur faire visiter sa ville. Lésy ne tarda pas à vouloir rejoindre son père sur la banquette avant.

— Lézy, retourne en arrière; il n'y a pas de place.

— Laissez, monsieur Dubois, je vais la tenir sur moi. Voilà fillette, montre-moi ce que tu sais faire.

Lézy prit les rênes:

— Va, va petit cheval.

Monsieur. Perreault éclata de rire:

— Mais non fillette, tu es trop douce. Ma vieille jument est sourde; il faut lui battre les cordeaux sur les fesses assez fort, sinon elle ne bougera pas. Il joignit le geste à la parole et la jument accéléra le pas.

Lorsqu'ils arrivèrent à destination, madame Perreault sortit pour les accueillir.

— Bonjour, vous devez être fatigués! Venez, il y a une bonne soupe chaude qui vous attend. Donnez-moi ce joli bébé. Comme il est beau! Quel âge a-t-il?

— Trois mois, répondit Adèle, elle s'appelle Aurore et voici mon autre fille Lézy.

— Comme elle est blonde cette petite! Tu dois avoir faim, ma belle? Madame Perreault va te donner quelque chose de bon. Donnez-moi donc des nouvelles des Lebreton.

Adèle sourit, les Perreault lui paraissaient bien sympathiques.

La première nuit des Dubois à Montréal fut courte: le silence de cette ville leur semblait étrange comparativement aux bruits de Pittsfield avec ses manufactures qui fonctionnaient jour et nuit et où on entendait les calèches qui circulaient sur le macadam et le sifflet des changements de quart.

Lézy se leva la première et se mit à explorer son nouvel environnement. L'odeur de crêpes émanant de la cuisine l'attirait irrésistiblement. Sa faim étant plus forte que sa gêne, elle s'assit avec assurance à la table de la cuisine. Madame Perreault, qui ne l'avait pas entendu arriver, pouffa de rire lorsqu'elle vit la petite bonne femme à la tête ébouriffée.

À leur réveil, Alfred et Adèle ne voyant plus Lézy s'empressèrent de descendre à sa recherche. Ils la trouvèrent dans la cuisine, la bouche pleine de crêpe et de confiture. Lézy ne s'était pas fait prier pour dévorer l'excellent déjeuner offert avec tant de bonne humeur.

— Venez vous installer, je vous sers à l'instant. Mon mari vous attend Monsieur Dubois. Je vais vous montrer le chemin. Vous verrez, vous n'aurez aucune difficulté à trouver. Si vous le voulez Madame Dubois, nous pourrions aller faire un tour dans le quartier en attendant que les hommes reviennent.

— En même temps, je pourrai jeter un coup d'oeil pour trouver un logement.

Quand les deux femmes furent prêtes à partir, Lézy donna sans réticence la main à la bonne madame Perreault et Adèle prit Aurore dans ses bras.

Adèle aima tout de suite cette paroisse de Saint-Vincent-de-Paul dont les rues, calmes et propres, contrastaient avec celles de Pittsfield.

En passant devant l'église, les deux femmes virent le curé qui lisait son bréviaire sur la galerie du presbytère.

— Peut-être pourrait-il nous aider, dit madame Perreault.

— Bonjour monsieur le Curé, pouvons-nous vous voir une minute.

— Bien sûr ma fille, montez.

— Je voudrais vous présenter madame Alfred Dubois. Elle et son mari arrivent des États. Ils aimeraient s'installer dans la paroisse, dit madame Perreault, pouvez-vous les aider?

— Je serais très heureux de vous accueillir dans notre paroisse, madame. J'ai quelques adresses qui vous intéresseront sûrement. Venez, je vous les donne.

Il griffonna quelques adresses:

— Si vous ne trouvez pas, revenez me voir.

Il salua les deux femmes, caressa la joue de Lézy et fit un signe de croix sur le front d'Aurore.

— Merci, monsieur le Curé, merci beaucoup.

— Je compte vous voir à la messe demain, je pourrai rencontrer votre mari.

— Sûrement, monsieur le Curé.

Dès la deuxième adresse, Adèle trouva l'appartement de ses rêves. Il y avait deux chambres à coucher, une cuisine, un salon, une salle à manger et, luxe inouï, une salle de bain. L'eau courante était installée depuis peu ainsi que le gaz. Le prix était exorbitant: 30$ par mois. Adèle savait bien qu'un tel appartement était au-dessus de ses moyens mais elle se permit de rêver un peu.

Les deux femmes revinrent à la maison car Lézy refusait d'aller plus loin. Après avoir mangé, elles couchèrent les deux filles. Lézy, pour une fois ne se fit pas prier pour faire sa sieste.

Madame Perreault fit du thé.

— L'après-midi ne fut pas payante, hein?

— Non, en effet. C'est décevant. Les logements sont terriblement chers. Je ne sais pas comment on va s'en sortir.

— Allons Adèle, vous permettez que je vous appelle Adèle?

— Oui bien sûr, Madame Perreault. Vous êtes si gentils, vous et votre mari...

— Alors écoutez-moi Adèle, rien ne presse. Vous prendrez tout le temps dont vous aurez besoin. Vous ne nous dérangez aucunement. Au contraire, la présence des enfants dans ma maison me réjouit le coeur.

Adèle se leva pour ramasser les tasses.

— Non, laissez, Adèle je vais le faire. Écoutez, j'entends une petite fille qui réclame sa tétée, profitez-en pour vous reposer un peu.

Ce soir-là, Alfred avait l'air soucieux. On ne lui offrait que des emplois abrutissants et mal payés.

Quelque temps plus tard, Alfred n'avait toujours pas trouvé d'emploi lorsqu'Adèle lut dans *La Presse* qu'une compagnie de gaz demandait des jeunes gens vifs d'esprit, travailleurs, capables de parler anglais. L'annonce était intrigante et Alfred décida d'en savoir plus. Il partit tôt le lendemain matin mais quand il arriva, il y avait déjà une longue file d'attente. Il faillit s'en retourner mais, se disant qu'il n'avait rien à perdre, décida d'attendre.

Les premières évaluations se firent par groupe de dix.

Ensuite, les candidats retenus, dont Alfred, rencontrèrent monsieur Sévigny, le grand patron.

Une semaine passa avant qu'Alfred ne recoive des nouvelles.

— Alfred, tu as reçu du courrier de la compagnie de gaz.

— Ah oui! qu'est-ce ça dit?

— Alfred, c'est merveilleux, on te demande de te présenter lundi.

— Enfin, je commençais à trouver le temps long.

Le lundi suivant, on remit à Alfred un uniforme ainsi qu'un petit cahier dans lequel il devait relever les compteurs de gaz dans les maisons privées. On le payait une piastre par jour: le meilleur salaire qu'il n'ait jamais gagné. Le travail durait de longues heures, mais on lui donnait congé le samedi après-midi.

Ce soir-là, Alfred fier de lui, revint à la maison portant son nouvel uniforme. Adèle était folle de joie. Lézy fut très impressionnée par ce nouveau père tout déguisé. Les Perreault étaient également heureux de la nouvelle.

— Ma chérie, dit Alfred, on va pouvoir s'installer définitivement.

Adèle lui parla alors de l'appartement qu'elle avait visité avec madame Perreault et lui donna l'adresse.

Après souper, il partit avec monsieur Perreault voir l'appartement. Adèle resta pour s'occuper des enfants.

Les deux hommes revinrent bredouille car l'appartement tant convoité n'était plus libre. Alfred, de toute façon, l'avait trouvé «beaucoup trop cher pour leurs moyens». Adèle fut évidemment déçue mais poursuivit ses recherches et dénicha un petit logement situé dans un troisième étage. L'appartement était dans un état lamentable mais ne coûtait pas cher. Les Dubois s'y installèrent donc après avoir fait un bon nettoyage et, malgré la promiscuité des autres locataires, ils étaient quand même heureux d'être à nouveau chez eux.

Alfred travaillait fort. Il partait à cinq heures trente le matin pour ne rentrer que vers six ou sept heures le soir. Il devait relever les compteurs et effectuer la collecte des paiements. Plusieurs familles pauvres ne pouvaient payer à temps. À chaque vendredi, Alfred devait remettre à la compagnie l'intégralité des montants dûs. Ceci incluait les comptes en retard qu'il devait payer de ses propres deniers. Alfred était un homme chaleureux et juste. Rares étaient les clients qui refusaient de payer car Alfred réussissait toujours à trouver un compromis pour aider les plus pauvres.

Après quelques mois, la Compagnie lui offrit de travailler dans un quartier plus facile. Alfred accepta car cela représentait une augmentation de revenus substantielle. Il disposerait d'un peu moins de temps pour parler avec ses clients, mais il améliorerait la qualité de vie de sa famille.

Depuis son arrivée à Montréal, Adèle avait rencontré quelques voisines mais elle pensait souvent à Amélie, qui lui manquait beaucoup. Elle profita des quelques moments que lui offrait la sieste des enfants pour écrire à sa vieille amie. Déjà elle se sentait moins seule. Elle écrivit aussi à sa famille; il y avait longtemps qu'elle ne l'avait fait et cela la tracassait.

CHAPITRE CINQUIEME

Vie de famille

IL PLEUVAIT TOUS LES JOURS depuis bientôt deux semaines en cet automne 1884. Adèle, seule à la maison, s'ennuyait profondément. Elle était de nouveau enceinte et la complicité féminine qu'elle avait connue avec sa mère, puis avec Amélie, lui manquait. Heureusement, elle avait sa belle-soeur Louise, l'épouse de son frère Joseph, et la bonne madame Perreault. Comme toutes deux habitaient à Saint-Vincent-de-Paul, elle ne les voyait pas souvent.

Alfred, accaparé par son travail, avait changé: il était devenu moins enjoué.

Un soir, alors qu'ils étaient tous deux assis à la cuisine, Adèle remarqua combien son mari semblait fatigué.

— Alfred, ça va? tes heures sont longues, hein? et en plus tu vas avoir une autre bouche à nourrir.

Alfred se leva et appuya la tête contre le ventre de sa femme; une étincelle passa dans ses yeux.

— Je suis tellement content. J'espère bien que ce sera un garçon cette fois. J'aime bien les filles mais il serait temps de changer un peu.

— Moi aussi, mon Alfred, j'aimerais bien avoir un garçon. Espérons que le Bon Dieu va nous faire ça.

— Oui, comme tu dis, espérons qu'IL va nous faire ça.

Et il fit un clin d'oeil à sa femme.

***

Adèle était bonne couturière et Alfred lui avait offert, à son anniversaire, une machine à coudre. Elle décida de faire des robes pour ses deux filles. Afin de ne pas toucher aux économies, elle remodela quelques-unes de ses anciennes robes.

Lézy manifestait déjà un certain goût pour les chiffons et se pliait de bonne grâce aux essayages. Pendant que sa mère cousait et que sa soeur dormait, elle s'amusait à enfiler les boutons et à se faire des colliers. Au retour de son père, elle lui criait au-travers de la porte: "yeux papa, yeux papa". Alfred se cachait les yeux et Lézy sortait avec sa nouvelle robe et paradait comme une petite princesse.

Alfred jouait le jeu et applaudissait. Ensuite il la prenait au bout de ses bras et la faisait sauter. Lézy riait de bon coeur. Cette scène se répéta souvent.

***

Les fêtes furent tranquilles pour Alfred et Adèle.Ils reçurent une carte de Noël des Lebreton qui leur apprit qu'Amélie avait mis au monde un fils, prénommé Alphonse. Il était en bonne santé et faisait la fierté d'Hector.

Un soir, Alfred remarqua que sa femme semblait bien préoccupée.

— Adèle, à quoi penses-tu?

— Ben, je me disais que nous n'étions pas retournés à Saint-Ferdinand depuis très longtemps et je pense que j'aimerais bien y aller.

— Oui, mais t'es enceinte!

— Justement, j'aimerais accoucher chez-nous.

— Je comprends ça, mais qui va garder les filles ?

— Je les amènerai avec moi. Il y a assez de monde là-bas pour s'en occuper.

— Oui, peut-être ben, laissa tomber Alfred, nullement enchanté de rester seul à Montréal pendant plusieurs semaines.

— Est-ce que je peux écrire tout de suite pour avertir maman?

Adèle fit part de son projet à sa belle-soeur Louise qui,

emballée, accepta de l'accompagner. Peu de temps après, Adèle, Lézy, Aurore et Louise partirent pour Saint-Ferdinand. Adèle n'était pas retournée chez elle depuis cinq ans. Avant de se rendre chez sa mère, qui était retournée à Saint-Pierre de Broughton, Adèle avait une visite toute particulière à faire.

— Bonjour monsieur le Curé.

— Bonjour madame Dubois, comme je suis heureux de vous voir.

Le curé Bernier lui serra chaleureusement la main. Adèle le trouva vieilli.

— Comment allez-vous, vous et Alfred? êtes-vous de retour au pays?

— Non, je suis en visite pour quelques semaines, je pars demain voir ma mère à Saint-Pierre de Broughton. Comme vous le savez, elle habite chez mon frère Adrien.

— Oui je sais. Elle m'avait également dit que vous étiez à Montréal.

— Oui et on aime ça beaucoup. Alfred travaille pour une compagnie de gaz, il a déjà eu une promotion.

— Bravo, et comment va la famille?

— J'ai déjà deux filles et le troisième, c'est pour dans un mois.

Adèle passa près d'une heure dans le bureau du curé Bernier à lui raconter la vie à Pittsfield et à Montréal. Lorsqu'elle le quitta, le curé lui dit:

— Vous ferez des salutations à Alfred de ma part.

— Je n'y manquerai pas. Merci monsieur le Curé. Voulez-vous me bénir?

Sur le chemin du retour, Adèle se remémora sa visite. Alfred lui avait fait promettre d'aller voir le curé Bernier car il avait trouvé difficile de quitter son village sans l'approbation du prêtre. Alfred respectait le curé non seulement à cause de sa soutane, mais surtout pour la loyauté qu'il manifestait envers ses paroissiens.

À Saint-Pierre de Broughton, on attendait Adèle et Louise avec impatience. Lézy et Aurore étaient perdues parmi ces grandes personnes qui s'embrassaient, pleuraient et parlaient toutes en même temps. La grand-mère Marie serrait les petites dans ses bras et ne cessait de répéter en pleurant de joie:

— Mes petites-filles, mes petites-filles.

Adèle s'installa dans la maison paternelle. On lui donna la chambre qu'elle avait naguère partagée avec ses soeurs.

L'émotion passée, on se laissa bercer par la quiétude des retrouvailles et les journées s'écoulèrent dans la joie. Le mois d'avril arriva en douce et Kilda naquit. Elle fut baptisée à l'église paroissiale.

Par une belle journée de mai, Adèle eut la surprise de voir apparaître son mari, dans l'encadrement de la porte. Elle lui sauta au cou.

— Alfred! grand fou, pourquoi tu ne m'as pas avertie?

— Je voulais te faire une surprise. De plus je viens vous chercher, je m'ennuie trop.

Adèle prit Alfred par le bras et l'entraîna dans le salon.

— Viens voir ta nouvelle fille. Regarde comme elle est belle, elle est plus grosse que les deux autres.

Alfred se pencha au-dessus du berceau.

— Oui, on dirait. Il mit son doigt dans la petite main qui le serra très fort.

Adèle et son mari retournèrent à Montréal quelques jours plus tard. Louise était repartie depuis déjà deux semaines.

Kilda grandissait bien. Elle aimait la vie et cela transpirait de tous ses petits pores. Elle apprit à marcher très vite et parla un dialecte incompréhensible pour tous, sauf pour la poupée qu'Adèle lui avait confectionnée avec des bouts de tissus. Elle adorait la boue et la poussière et elle revenait toujours avec un bras égratigné ou un genou écorché.

Lézy, parlait peu pour ses quatre ans mais, telle une petite Lady, elle employait les bons mots. Elle n'aimait toujours pas la saleté et faisait des crises lorsque sa robe se salissait.

Quant à Aurore, c'était une enfant sage, douce, toujours prête à céder ses choses à ses deux soeurs.

***

Une nuit. Adèle fut réveillée par des pleurs. Elle alla dans la chambre des filles et y trouva Aurore, brûlante de fièvre et ruisselante de sueur, couchée à côté de Lézy. Elle s'empressa de la laver à l'eau froide et de la changer, mais la fièvre ne voulut pas diminuer. Adèle réveilla son mari et toute la nuit, chacun leur tour, ils bercèrent la petite Aurore.

Au matin, Aurore n'allait pas mieux. Ils firent venir le médecin.

— Ça semble être une méningite, madame Dubois et il n'y a pas grand chose à faire. Je vais vous laisser un remède pour faire baisser la fièvre, mais il faut laisser faire la nature. Votre fille a une bonne constitution. Il faut espérer et prier. Je reviendrai ce soir.

Quand le docteur revint, la fièvre n'avait pas diminué. Adèle gardait sa fille dans ses bras et la berçait en fredonnant.

Le médecin fit signe à Alfred qu'il ne pouvait rien faire de plus. Aurore mourut dans les bras de sa mère le soir-même. Elle avait à peine trois ans.

CHAPITRE SIXIEME

Saint-Vincent-de-Paul

UN MATIN, ON DEMANDA ALFRED au bureau du grand patron. Cette convocation inhabituelle l'inquiéta, lui qui normalement faisait affaire avec le contremaître. Aussi, pendant qu'il attendait d'être reçu, Alfred essaya de faire parler la secrétaire.

— Dites, mademoiselle de GrandMaison, savez-vous pourquoi on me fait venir ici?

— Non, pas vraiment, monsieur Dubois, mais à votre place je ne m'en ferais pas trop.

— Facile à dire, pensa Alfred, elle n'a pas de famille à faire vivre, cette vieille fille-là. Qu'est-ce qu'il peut bien me vouloir. C'est peut-être à propos du jeune blanc-bec, le neveu du patron que j'ai rabroué la semaine dernière. Ça doit être ça. Mais non, le patron est un homme correct; il peut pas se laisser berner par un jeune fainéant profiteur. Mais quoi alors?

Alfred sentit une bouffée de chaleur l'envahir. Elle devrait ouvrir la fenêtre pour changer l'air un peu, se dit-il, ça pue ici. Alfred réalisa qu'il était en train de faire passer son inquiétude sur le dos de la secrétaire. Heureusement, qu'elle ne pouvait deviner ses pensées. La dernière fois qu'il s'était senti aussi troublé, se souvint-il, c'est lorsqu'il avait annoncé son départ pour les États au curé Bernier.

L'interphone sonna et la secrétaire fit signe à Alfred d'entrer. La panique s'empara de lui lorsqu'il vit, en plus du patron, son contremaître. Il marmonna un bonjour entre ses dents.

Monsieur Sévigny se leva et lui tendit la main.

— Venez monsieur Dubois, asseyez-vous.

Le contremaître lui adressa un sourire réconfortant.

— Je n'irai pas par quatre chemins, monsieur Dubois. Ma compagnie prend de l'expansion et j'en suis à réorganiser mes différents services, principalement celui de la perception.

Depuis combien d'années travaillez-vous pour moi?

— Un peu plus de quatre ans, Monsieur.

— Monsieur Dufour, votre contremaître, m'a vanté vos qualités et m'a suggéré votre nom comme responsable de l'entraînement des recrues. Qu'en dites-vous?

Alfred, bouche bée, regarda les deux hommes, puis après quelques secondes d'hésitation:

— Ce que j'en dis, Monsieur? C'est que je suis très surpris, mais je crois être capable de faire «la job». J'aime mon travail et je serais très heureux de servir la compagnie encore longtemps.

— Votre réponse me plaît, Monsieur. Dubois. D'après votre contremaître, vous êtes consciencieux et honnête. D'ailleurs, j'ai pu constater votre intégrité lorsque mon neveu est venu, la semaine dernière, à mon bureau pour se plaindre de vous. Vous aviez pris le parti de son compagnon de travail en ce qui avait trait au partage des tâches, et cela a fait pencher la balance de votre bord. Vous n'avez pas eu peur de faire justice malgré le fait que ce jeune chenapan ait été mon neveu.

— Parlons argent maintenant. Je vous offre cinq piastres de plus soit seize piastres pour une semaine de cinq jours, au lieu de six, ainsi qu'une révision de votre charge et de votre salaire dans trois mois. Est-ce que cela vous convient?

— Oui bien sûr, Monsieur. Ça me convient très bien.

Le Patron se leva et lui serra la main.

— Alors c'est entendu, les changements devraient s'effectuer en-dedans de trois semaines. Ma secrétaire vous tiendra au courant. Le contremaître se leva à son tour et lui tendit la main:

— Félicitations Alfred, je suis très heureux pour vous.

— Merci, merci beaucoup monsieur Dufour.

Alfred sortit, il avait maintenant des ailes.

— Merci mademoiselle de GrandMaison, vous êtes merveilleuse.

— Mais je n'ai rien fait, dit-elle en riant.

— Mais oui, tout le monde est merveilleux...

Enfin il pouvait envisager de déménager dans un appartement plus grand et plus confortable, peut-être même à Saint-Vincent-de-Paul. Alfred décida de ne pas parler à Adèle de sa promotion et de chercher un logement intéressant dans cette paroisse. Avec l'aide du bon monsieur Perreault, il en dénicha un: il y avait même une petite cour qu'il pourrait partager avec le propriétaire. Il voulait faire une surprise à Adèle pour leur dixième anniversaire de mariage.

Son plan était tout tracé. Il partirait le samedi matin comme d'habitude mais au lieu d'aller à la compagnie, il irait préparer le logement.

Un soir de janvier, Alfred proposa à Adèle d'aller prendre une marche.

— Qu'est-ce qui te prend, depuis quand veux-tu aller prendre des marches?

— Il fait beau, la neige tombe tout doucement, y me semble que la nuit m'attire et...

— Aie! es-tu malade?

— Mais non, habille-toi. Je vais préparer les filles.

— Tu m'inquiètes grand fou, qu'est-ce qui te prend?

— Rien, madame Dubois, rien.

Il prit Adèle par la taille et la fit virevolter:

— Allez, allez madame, votre carrosse vous attend.

Elle obéit mais se méfiait de son mari.

— Quel tour veux-tu bien me jouer? Je te connais tu sais.

Alfred n'écoutait plus sa femme: il était mal pris avec les boutons des bottes de Lézy qui riait de la maladresse de son père.

Finalement, toute la famille fut prête et on sortit.

La nuit était douce pour la saison. Alfred riait, taquinait ses filles et courait après elles pour les enneiger.

— Où allons-nous? on dirait que tu nous amènes chez les Perreault.

Alfred ne dit rien et s'arrêta devant le 100 de la rue Éléonor.

— Que fais-tu, Alfred?

— Viens, suis-moi.

Adèle, dans un geste de protection, retint ses filles par la main.

— Où vas-tu, il fait noir, il n'y a personne.

— Viens je te dis, fais-moi confiance.

Alfred sortit une clé de sa poche, ouvrit la porte et entra. Adèle le suivit avec curiosité.

— Alfred, qu'est-ce que c'est que ces mystères?

Il alluma et, après avoir embrassé Adèle, il lui dit:

— Bon dixième anniversaire, chérie. Voici ta nouvelle demeure.

Adèle n'en croyait pas ses yeux. Excitée, elle fit le tour des lieux pendant qu'Alfred lui dévoilait ses secrets: sa promotion, les samedis matins qu'il avait pris pour peindre et rénover l'appartement, la complicité de madame Perreault qui avait cousu les rideaux. Adèle n'en revenait pas.

De retour à la maison, elle aurait voulu préparer immédiatement les boîtes et déménager dans le nouvel appartement, mais elle dut attendre au samedi suivant, heureuse cependant de ne pas avoir à nettoyer avant d'aménager.

En février 1887, on fêta les cinq ans de Lézy. Adèle était au comble du bonheur dans son nouveau logis.

Les enfants ressentaient aussi le bien-être et la nouvelle sécurité qui les enveloppaient. Elles jouaient toutes les deux. Adèle voyait comment elles avaient grandies. Lézy essayait d'apprendre les bonnes manières à Kilda, mais celle-ci préférait de beaucoup courir et crier pour montrer sa joie et son enthousiasme. Elles étaient tellement différentes l'une de l'autre.

Adèle avait hâte à l'été: elle se ferait un jardin pendant que les petites joueraient dehors.

Kilda eut trois ans en mars et Adèle lui prépara un énorme gâteau d'anniversaire. Alfred lui avait fabriqué un cheval de bois, semblable à ceux des petits Lebreton.

Vers la fin de mai, par un bel après-midi ensoleillé, Adèle put enfin ensemencer son potager. Cette activité lui procurait une grande satisfaction et lui permettrait de préparer des confitures et des marinades comme elle le faisait avec sa mère.

À son retour, ce soir-là, Alfred trouva la maison rangée, les filles couchées et le souper servi. Adèle avait cuisiné un festin de roi. Ils mangèrent en tête-à-tête et parlèrent comme ils avaient eu peu de chance de le faire depuis longtemps.

Adèle, qui avait déploré son manque d'affinité avec les habitants de son ancien quartier, constatait qu'elle se sentait plus à l'aise à Saint-Vincent. Elle échangea des recettes avec ses nouvelles voisines et s'intégra un peu plus à la vie communautaire.

À la fin de l'été, elle récolta tous les légumes et prépara les conserves pour l'hiver. Alfred lui avait fabriqué des cageots pour conserver les betteraves, les patates et les navets. Elle avait aussi fait sécher les fines herbes nécessaires pour relever le goût des plats qu'elle préparerait. Elle était fière des résultats et pensait même agrandir un peu le jardin, l'an prochain. La terre était bonne. Elle restait surprise de voir à quel point elle n'avait rien oublié de ce qu'elle avait appris du temps qu'elle vivait chez ses parents.

À l'automne 1887, Adèle sut qu'elle deviendrait mère de nouveau. La vie lui était devenue plus facile et elle avait le sentiment qu'elle attendrait la venue de cet enfant avec plus de sérénité. Elle annonça la nouvelle à Alfred qui se réjouit à la pensée d'avoir une troisième petite tête blonde dans la maison.

Adèle écrivit à sa famille ainsi qu'à Amélie, son amie de toujours, pour leur annoncer l'arrivée future des "Sauvages".

Les réponses ne se firent pas attendre: la famille était heureuse de compter un nouveau membre et les Lebreton lui annoncèrent qu'ils attendaient du nouveau eux aussi. L'année 1888 s'annonçait bonne.

Adèle accoucha en juin. Marie-Anna était délicate et avait la peau très blanche. À la surprise d'Alfred, elle avait les cheveux noirs. En l'apercevant, il s'exclama:

— Mon Dieu, qu'elle est noire, une vraie petite "noire cochon"!

---

1. La Société des éditions du Mémorial (Québec) 1981. Le Mémorial du Québec.

CHAPITRE SEPTIEME

La Fatalité

LE CINQUIEME ENFANT DES DUBOIS, un garçon, naquit à l'automne 1891 et fut baptisé Joseph-Alfred. À la grande joie d'Alfred, sa descendance lui parut assurée. Ce fils vigoureux prit immédiatement sa place dans la famille.

La vie s'écoula douce et heureuse jusqu'au 16 juillet 1893. Adèle mit au monde un deuxième fils, Jean-Baptiste Jacques, mais l'accouchement fut difficile. Adèle, qui avait dû passer les deux derniers mois de sa grossesse au lit, était dans un état de faiblesse tel qu'on avait craint pour sa vie. Le bébé était chétif et avait peine à respirer. Il mourut trois jours plus tard.

Lézy était alors âgée de onze ans et Kilda en avait neuf. Les deux soeurs s'occupaient de la maison. Elles devaient prendre soin aussi d'Anna qui avait quatre ans et du benjamin Joseph-Alfred qui lui, avait à peine dix-neuf mois.

— Maman, est-ce que l'on fait cuire le restant de boeuf pour souper?

— Oui Lézy. Dis à Kilda d'aller chercher des navets. Y en a plus dans le cagibi.

«Maman, l'eau» demanda Joseph-Alfred à sa mère.

— Va voir les filles, mon grand.

— Non, vous.

— Je ne peux pas, maman est malade, va voir Lézy.

— Lézy, Lézy, l'eau.

— Attends un peu, je vais t'en donner tout à l'heure.

— Non, l'eau, insista-t-il.

— Laisse-moi. Tu attends ou tu demandes à Kilda, dit-elle impatiente.

L'enfant alla voir sa soeur Anna.

— Non, je ne suis pas assez grande pour la pompe.

Kilda qui rapportait les navets, en maugréant que c'était toujours à son tour d'aller aux cageots, n'entendit pas son frère lorsqu'il lui demanda de l'eau.

Ce fut Anna qui l'aperçut la première.

— Maman, maman, Alfred est malade!

Adèle parvint avec efforts à se sortir du lit et elle vit le petit Alfred, recroquevillé dans un coin de la cuisine, qui vomissait.

— Vite Lézy, cours chercher le docteur Durant. Kilda, apporte de l'eau, vite.

Adèle, désemparée, ne savait que faire pour son fils.

Lézy revint avec le médecin qui s'empressa auprès du bambin.

— On dirait un empoisonnement, madame. A-t-il mangé ou bu quelque chose?

— Non je crois pas. Lézy, Kilda, avez-vous donné quelque chose à Alfred?

— Non maman, il voulait de l'eau mais je lui ai demandé d'attendre.

C'est alors que Kilda vit un petit bocal qui avait roulé sous une chaise.

— Regardez Maman.

— Mon Dieu! Docteur Durant, c'est de la «lessie»!

En deux jours, Adèle et Alfred avaient perdu leurs deux fils.

Adèle, terrassée, n'assista pas aux funérailles. Les deux enfants furent placés dans le même cercueil et enterrés le 22 juillet 1893, au cimetière de la Côte-des-Neiges.

Adèle se coupa complètement de la réalité. Elle pleurait sans cesse et, les bras croisés comme si elle tenait un enfant, elle répétait constamment: «Mes bébés, mes bébés». Elle ne mangeait plus; elle ne semblait pas voir son mari lorsqu'il entrait dans la chambre.

La perte de ses fils fut une épreuve atroce pour Alfred qui

eut à remonter le moral de sa femme alors que lui-même était profondément déprimé.

Chacune des filles vécut ce double deuil à sa façon. Lézy, l'aînée, saisit l'ampleur du désarroi de ses parents. Elle prit, avec sa tante Louise qui était accourue pour aider, la charge de la maisonnée. Kilda fut aux petits soins pour sa mère; elle lui parlait doucement, même si Adèle ne lui répondait pas, replaçait ses oreillers, la peignait et essayait de la faire manger.

Quant à Anna, qui n'avait que quatre ans, elle devina qu'elle ne reverrait plus jamais Joseph-Alfred qu'elle avait tant aimé. Elle n'eut pas le droit d'entrer dans la chambre de ses parents car on lui avait dit: «Ta mère est très souffrante et il ne faut pas la fatiguer». Son père ne lui souriait plus et ne la faisait plus sauter sur ses genoux en lui disant: «Ma noire cochon». La petite, déconcertée, ne comprenait pas ce qui se passait autour d'elle.

Sa tante Louise qui l'observait tenta de la réconforter:

«Pauvre petite, se dit-elle, que peut-elle comprendre de tous ces événements»?

— Viens ma chérie, tante Louise va te bercer.

Anna se laissa prendre et cajoler. Tante Louise lui caressa les cheveux. Ses chaudes paroles apaisèrent l'enfant.

Un soir que Louise aidait Adèle à faire sa toilette, celle-ci regarda sa belle-soeur et lui dit:

— Merci, Louise pour tout ce que tu fais.

— Adèle! enfin tu es sortie de ton abattement? Comme c'est bon de t'entendre. Comment te sens-tu?

— Très fatiguée, je pense que jamais je ne prendrai le dessus. Une partie de moi est morte en même temps que mes fils.

Elle éclata en sanglots.

Louise la prit dans ses bras.

— Pleure Adèle, pleure, laisse sortir ta peine. Tu as raison de croire qu'une partie de toi est morte, mais il te reste Lézy, Kilda, Anna, cette chère petite qui a tant besoin de toi, et ce pauvre Alfred qui traîne comme une âme perdue. Laisse faire le temps.

Au même moment, Alfred entra dans la chambre. Il prit sa femme dans ses bras.

— Adèle, mon Adèle, j'ai eu si peur.

— J'ai si mal Alfred, on dirait que mon coeur et mon corps sont froids et que jamais ils se réchaufferont.

Louise sortit discrètement et ferma la porte.

Ils pleurèrent ensemble et leurs larmes les exorcisèrent de leur peine.

Alfred resserra son étreinte:

—Maintenant il nous faut remonter la pente. Les filles ont besoin de nous, on doit continuer pour elles.

La vie reprit son cours. Lézy et Kilda retournèrent à l'école. Anna connut cependant un temps difficile; elle devint la seule enfant dans la maison et l'absence de ses deux soeurs accentua ce vide.

Adèle, encore troublée et consciente de la peine d'Anna entreprit pour combler leur solitude, de lui enseigner l'art des travaux à l'aiguille. La petite apprit rapidement et put faire avec une grande facilité du petit point et du travail sur étamine. C'étaient des petites pièces, mais elle les réussissait très bien.

Les mois passèrent et Adèle eut un troisième fils en février 1895. Cette fois-ci, la grossesse se passa bien ainsi que l'accouchement. Malheureusement, comme son père, Joseph-Louis avait aussi des problèmes respiratoires.

***

Par un beau dimanche de juillet 1895, Alfred amena sa famille en excursion à l'île Sainte-Hélène[1]. Depuis quelques années déjà, on pouvait s'y rendre en empruntant le bateau à vapeur qui faisait la navette entre Montréal et la rive Sud.

L'excitation était à son comble. Les filles n'avaient jamais pris le bateau et, bien que la traversée ne durât que quinze minutes, l'aventure les fascina.

Le «Longueuil» accosta et les Dubois furent surpris de voir le débarcadère. Ce n'était, ni plus ni moins, qu'une plate-forme bâtie de quelques planches et de madriers posés inégalement. Alfred dut soulever le carrosse de Joseph-Louis[2].

Adèle s'empressa de prendre la main d'Anna et d'avertir les deux grandes d'être prudentes et de regarder où elles posaient les pieds, car les rares garde-fous ne paraissaient pas solides.

Parc d'amusements sur la partie Sud de l'île Sainte-Hélène. Vers 1876.
Gravure sur bois par W. Scheuer. Archives nationales, Ottawa.

— C'est dangereux, Alfred, c'est comme rien, si y'en a pas qui tombent à l'eau.

— Vous avez raison Madame, dit une vieille dame qui se tenait à ses côtés. Je viens souvent ici et, pas plus tard qu'il y a deux semaines, trois enfants sont tombés. Heureusement, ils ont été repêchés. Ils ont eu plus de peur que de mal. Il paraît qu'ils vont construire un débarcadère plus solide.

— Espérons-le, dit Adèle, on est vraiment pas en sûreté.

Elle salua la vieille dame et s'empressa de rejoindre les aînées qui s'impatientaient.

Il y avait plusieurs manèges, dont une série de chaloupes suspendues par des câbles et sur lesquelles étaient inscrits les noms de différents pays.

Kilda et Anna choisirent l'Amérique; Lézy voulut essayer la Belgique. Elles se balancèrent jusqu'à ce que la vitesse les fît crier de joie et de peur. Elles prirent également plaisir à monter sur les poneys.

Alfred eut beaucoup de succès dans les jeux d'adresse.

Cette journée fut remplie de surprises, de joies et d'émotions de toutes sortes. Le soleil se couchait lorsque les Dubois reprirent le bateau pour revenir à Montréal. Les filles, épuisées, ne se firent pas prier pour se coucher ce soir là.

Les bateaux à vapeur! Quelle époque! Ils ont fait leur apparition au début du 19e siècle. John Molson, un brasseur entreprenant, donna au fleuve Saint-Laurent, en 1809, son premier vapeur: «L'Accomodation». Ce navire fut le troisième "steamer" à faire son apparition en Amérique. John Molson avait obtenu le dessin d'un engin en Angleterre. Il le fit fondre aux Forges du St-Maurice, près des Trois-Rivières, et mettre au point à Montréal. Il avait deux associés: James Bruce qui construisit le bateau, et John Jackson qui installa l'engin. Le vapeur jaugeait 40 tonneaux, mesurait 85 pieds de long et 16 pieds de large. Deux engins de 6 CV, placés de chaque coté des roues à aubes, lui donnaient une vitesse d'un peu moins de 5 milles à l'heure. Le voyage inaugural dura 66 heures: L'«Accomodation» avait quitté Montréal le 1er novembre, à 2h30, et était arrivé à Québec le 4, à 8h30 heures. Ce furent les périodes d'ancrage qui prirent du temps: 30 heures[3]. En effet, il devait voyager de jour, car le balisage pour le transport de nuit était inexistant à l'époque. Le logement à bord, n'était pas très bon. Deux cabines, une grande pour les hommes et une petite pour les femmes, garnies d'une rangée de couchettes de chaque coté et d'une table au centre. Il y avait 20 couchettes en tout. Le premier voyage ne transportait que 10 passagers. Le passage coûtait 8$ pour l'aller et 9$ pour le retour, couchette et repas compris, avec droit de 60 livres de bagages. L'«Accomodation» fut vite remplacé par un meilleur bateau, le «Swiftsure», de 400 tonneaux, qui mesurait 130 pieds de long par 44 pieds de large et qui pouvait loger 44 passagers[4].

Avec l'«Accomodation», on en était aux premiers balbutiements de la navigation à vapeur sur les eaux du fleuve. En peu de temps plusieurs compagnies maritimes firent leur apparition, si bien que celui qui n'avait pas voyagé, au moins une fois, sur ces conquérants de l'onde passait pour rebelle au progrès. L'île Sainte-Hélène n'échappa pas à ce moyen de transport. Aucun pont n'a relié l'île à la terre ferme avant 1929-1930[5]. La traversée se faisait par barque entre Longueuil, l'île Ste-Hélène et Montréal. Dès que la Ville de Montréal eut la permission du Gouvernement impérial, en 1874, d'utiliser l'île comme parc pour les familles de la Cité, la Compagnie de Navigation de Longueuil s'occupa de faire passer les visiteurs d'une berge à l'autre.

La Cité employait la méthode des soumissions pour contracter avec les compagnies de navigation. Le 7 mars 1900, une demande de soumission fut inscrite dans la page des petites anonces du journal La

Presse: *"Jusqu'à midi le 20 mars 1900, pour le droit exclusif de faire circuler des bateaux traversiers entre la Cité et l'Ile Sainte-Hélène. ...Jusqu'à midi le 27 mars 1900.. pour le privilège exclusif de vendre des rafraîchissements, des cigares et tous breuvages qui ne sont pas autorisés par les commissaires de licences dans la catégorie des boissons ennivrantes dans les limites du Parc Mont-Royal... Les cahiers des charges et les formules des soumissions pour les privilèges ci-dessus ont été déposés au bureau du soussigné. Aucune soumission ne sera prise en considération à moins qu'elle ne soit écrite sur la formule du cahier des charges, fournie par le Greffier de la Cité et qu'elle soit acompagnée du dépôt requis.*

Les dites soumissions seront ouvertes par le Greffier de la Cité, en présence des intéressés, à la séance de la Commission des Parcs et Traverses, qui suivra leur réception.

La Commission ne s'engage à accepter la plus haute ni aucune autre des soumissions."

Cet avis était signé par L.O. David, greffier de la Cité de Montréal en date du 7 mars 1900.

Nous avons trouvé aux archives de la Ville de Montréal, une copie du cahier des charges de 1915 qui comportait 23 clauses:

"Les trois premières clauses concernaient les tarifs: soit de faire payer les hommes âgés de plus de quinze ans 5 cents aller-retour, soit de faire payer tous les passagers âgés de plus de 12 ans 5 cents aller-retour, soit transporter tout le monde gratuitement.

Les quatrième, cinquième et sixième clauses concernaient la fabrication et la capacité de chacun des traversiers utilisés. Les bateaux devaient être bien équipés, munis de chaloupes ainsi que de gilets de sauvetage pour la protection des passagers. En cas d'accident, les bateaux devaient être remplacés par d'autres tout aussi efficaces.

La septième clause mentionnait l'interdiction de la vente ou le transport de boissons spiritueuses ainsi que la collaboration avec les officiers de la corporation au maintien du bon ordre.

Les clauses huit à douze traitaient des périodes de mise en service des bateaux: à tous les jours, du 15 mai au 30 septembre, quand le temps le permet; à intervalles réguliers (aux demi-heures de huit heures le matin à sept heures et demie le soir en mai et en septembre et jusqu'à huit heures et demie le soir pendant les mois de juin, juillet et août); le dimanche: premier départ du quai de l'île à sept heures a.m.; début du service régulier le dimanche et les journées de fêtes légales à neuf heures a.m. Cet horaire devait être scrupuleusement respecté et, si l'on voulait en dévier, une permission spéciale par écrit devait être obtenue du Bureau des Commissaires.

La clause 13 concernait les effets transportés gratuitement tels les voitures d'enfants, les vélocipèdes, les bicycles, les bagages et les paniers contenant des provisions ou des vêtements supplémentaires.

La clause 14 traitait du transport gratuit des membres du corps militaire, des agents de police de l'île, des matériaux de construction, des ouvriers employés par le gouvernement fédéral et la corporation de Montréal, les outils, instruments, chevaux ou voitures à l'usage du dit gouvernement ou de la dite corporation et tout le nécessaire à l'exploitation des amusements et des rafraîchissements sur l'île.

La quinzième clause concernait la reprise de l'île en tout temps par le gouvernement fédéral, sans que les soumissionnaires puissent réclamer de dommages ou de compensation.

Les clauses 16 et 17 avaient trait à l'engagement (aux frais du soumissionnaire) de deux constables spéciaux pour maintenir l'ordre au débarcadère de l'île. Leurs fonctions ne devaient pas s'étendre au-delà dudit débarcadère. Ces clauses tenaient les soumissionnaires comme seuls responsables de tous les dommages qui pourraient résulter de l'exécution de leur contrat. La Cité devait être exemptée de toute réclamation et indemnisée de toute condamnation pouvant être prononcée contre elle et de toute somme que cette dernière pourra être appelée à payer comme dommage à cet égard, ou comme frais s'y rattachant.

Les dix-huitième, dix-neuvième et vingtième clauses avaient rapport au quai: les soumissionnaires s'y engageaient à ériger un abri, sur chacun des deux quais de la traverse, de façon à donner toute la commodité au public, pour le débarcadère et l'embarcadère des bateaux. Tous ces travaux devaient être exécutés aux frais et aux dépens des soumissionnaires, sous la surveillance et avec l'approbation du Bureau des Commissaires. La Cité de Montréal se réservait le droit de construire deux abris pouvant servir comme débarcadère pour le service de la traverse sans que les soumissionnaires puissent réclamer des dommages de la Cité de Montréal.

Les trois dernières clauses touchaient les garanties. Les soumissionnaires stipulaient quelles garanties ils donnaient à la Cité *de Montréal pour la fidèle exécution du contrat. Les soumissionnaires auraient à payer les frais du contrat qui serait attribués plus tard ainsi que le coût d'une copie du contrat pour la Corporation. Finalement le Bureau des Commissaires se réservait le droit, en tout temps et par une simple résolution, d'annuler le contrat dans l'éventualité où le concessionnaire négligerait de se conformer à quelqu'une des clauses et conditions du cahier des charges.*

Malgré la complexité et l'exigence du cahier des charges, quelques compagnies remplirent avec satisfaction les demandes de la Cité. Ainsi, d'après les documents retracés:

1874-1879: Compagnie de Navigation de Longueuil.
    Gérant: *Ovide Dufresne.*
    Bateaux: *Le Montarville*[6]
               Le Sainte_Hélène,
               Le Longueuil.
    Pilote: *Capitaine Duval (1877).*

1880-84: Compagnie Richelieu et Ontario.
    Bateaux: *Le Cultivateur, Le Island Queen*
               et Le Duchess of York.
    Bateau: *Le Filgate.*
    Pilote: *Capitaine Samuel Filgate*[7]

1885-1905: Renouvellement du contrat de la Compagnie Richelieu et Ontario
    Bateau: *Le Cultivateur*
    Pilote: *Capitaine Gaulet.*
    Bateau: *Le Longueuil,*
    Pilote: *Capitaine Mandeville.*

Le journal La Minerve, dans son édition du 19 juin 1895, publia la demande suivante: "La Compagnie Richelieu & Ontario, fermière de la traverse, a écrit au comité et a demandé à être relevée de l'obligation, prescrite par son contrat, d'avoir deux bateaux pour ce service, les jours ou il y a peu de monde. Elle a demandé également l'autorisation de relever la jetée de façon à ce que le débarcadère soit à la hauteur du pont supérieur du bateau. M. Desmarteau, Gouverneur de l'Ile Sainte-Hélène, appelé à témoigner devant ce comité s'est chargé de le renseigner sur la façon dont la compagnie exécutait sont contrat..."

La suite de l'article explique que le «Island Queen» est une "chaloupe à vapeur" et que «Le Cultivateur» à lui seul, ne suffit pas à la bonne exécution du contrat. Le Comité exigea donc que deux bateaux de même tonnage que «Le Cultivateur» soient mis en service.

1906-1915:   **Compagnie de Joseph Arthur Lamarre**
                Gérant: Ovide Dufresne.
                Bateaux: Le St-Laurent[6]
                           Le Valleyfield

M. Lamarre se plaignait, dans une lettre adressée aux échevins, en date du 20 septembre 1913, des demandes qui émanaient du Bureau des commissaires. Il considérait ces demandes inacceptables parce que, selon lui, aucun des membres du Bureau des commissaires ne connaissait l'art de la navigation et ses lois. Voici la lettre en question:

«...Vous me permettrez bien de porter à votre connaissance, les faits suivants:

Par une résolution datée du 9 mai 1913 Messieurs les Commissaires me demandaient à quelles conditions je ferais un nouveau contrat avec la ville, pour transporter gratuitement le public à l'Ile Ste-Hélène.

À cette demande j'ai répondu fixant un prix, en plus je donnais un état détaillé des dépenses à encourir annuellement, tel que charbon, salaires et autres, ainsi que du nouveau capital à investir.

Mon offre fut refusée; plus tard d'autres demandes de ces Messieurs, suivies d'autres offres furent également refusées.

Je n'aurais pas à me plaindre de cet échec si ces Messieurs du bureau des Commissaires discutant devant le conseil l'opportunité de nommer un expert pour leur dire ce qu'il faudrait faire pour transporter gratuitement le public à l'Ile Ste-Hélène, n'avaient pas déclaré ne rien connaître en fait de transport.

Il me semble, Messieurs les Échevins qu'il eut été plus loyal de la part de ces Messieurs du bureau des Commissaires de reconnaître leur ignorance en navigation et en transport avant ces négociations, qui ne me laissent plus sur un pied d'égalité avec d'autres concurrents dans les cas où de nouvelles soumissions publiques seraient demandées.

Je demande particulièrement au Conseil de vouloir bien faire expliquer à Monsieur le Commissaire Ainey comment il a pu vérifier mes chiffres et trouver mes demandes excessives en Juin, Juillet, le dire aux journaux en Août et en Septembre venir déclarer devant le conseil que ni lui ni ses chefs de département ne connaissent rien en fait de bateaux et transport.

Je ne suis pas un expert a-t-on dit. Depuis neuf ans j'ai charge du service de l'Ile Ste-Hélène, pas un seul accident n'est arrivé à aucun des quelques cent milles passagers qui chaque année ont fait le voyage: pourtant j'ai fait ce service dans les conditions les plus défavorables. Du fait de la reconstruction du Port de Montréal et un peu aussi du manque d'entente entre le Havre et la Ville, le service de l'Ile Ste-Hélène était toujours relégué dans un endroit où toute compagnie de Navigation n'aurait fait atterrir ses vaisseaux.

Entre l'expertise théorique et la pratique il y a place pour ces désastres capables de jeter le deuil dans bien des familles...»

***

À partir de cette date, les relations entre monsieur Lamarre et le Bureau des commissaires furent difficiles. C'est d'ailleurs à cette époque que les Commissaires suggérèrent de devenir eux-mêmes propriétaires de deux bateaux à vapeurs. Le 8 octobre 1914, un expert publia un rapport de 27 pages. Tout y était compilé, le coût, la capacité, le tonnage, les moteurs, le nombre de personnes requises pour faire naviguer ces magnifiques transporteurs, jusqu'à leur entretien et leur entreposage durant l'hiver. Évidemment les coûts exorbitants firent dresser les cheveux sur la tête des conseillers.

TABLEAU DES SALAIRES DU PERSONNEL DU BUREAU, DES TERMINUS ET DES ÉQUIPAGES DES TRAVERSIERS[8]

1 surintendant pour 12 mois	$1 800.00
1 teneur de livres pour 6 mois	510.00
1 sténographe pour 6 mois	210.00
2 receveurs de billets pour 5 mois	450.00
1 vendeur de billets pour 5 mois	275.00
2 gardes-barrières pour 5 mois	400.00
2 aides pour 5 mois	350.00
1 gardien pour mois d'hiver (7 mois)	245.00
Total	**$4 240.00**

À BORD DES BATEAUX TRAVERSIERS

2 capitaines pour 4 mois		$640.00
2 seconds pour 4 mois		440.00
4 matelots pour 4 mois		560.00
2 mécaniciens pour 6 mois		900.00
2 huileurs pour 6 mois		600.00
2 chauffeurs pour 4 mois		400.00
	Total	**$3 540.00**

RÉCAPITULATION:

Salaires du bureau et du terminus:	$4 240.00
Salaires du personnel des bateaux:	$3 540.00
Salaires pour la saison:	$7 780.00

DÉPENSES AU BUREAU ET AU TERMINUS

Salaires		$4 240.00
Fournitures et renouvellement		500.00
Intérêts sur le capital, $20,000 à 5%		1 000.00
Aménagements et équipement des terminus		200.00
	Total	**$5 940.00**

DÉPENSES DU SERVICE DES BATEAUX

Salaires		$3 540.00
Charbon pour la saison:		
92 jrs à 5.34 par tonne		
61 jrs à 2.67 par tonne		
Total de 654 tonnes à $3.80		**$2 485.00**
Fournitures et renouvellements:		
Huile, graisse, étoupe, fournitures électriques		250.00
Dégrément et grément, mise en cale-sèche, peinturage...		1 000.00
Intérêt sur le capital:		
2 bateaux traversiers à $65,000, à 5%		6 500.00
Assurance maritime:		
2 bateaux à $65,000, à 2%		2 600.00
	Total	**$16 775.20**

Frais d'exploitation pour une saison:		
terminus et bateaux:		22 715.20
	Grand total de	**$30 495.20**

Ensuite, venaient diverses hypothèses qui traitaient des avantages et des inconvénients d'avoir un ou deux bateaux. On pouvait, par exemple, assurer le service avec un seul bateau transportant le double de passagers, mais cette proposition comportait cependant des inconvénients majeurs. En effet, même si le personnel naviguant était réduit, il faudrait néanmoins disposer d'une équipe de relais car un bateau unique devrait augmenter ses heures de service (14 heures au lieu de 10). De plus, on devait tenir compte de la possibilité qu'un accident survienne au bateau assurant le service: le système de traverse serait alors complètement désorganisé. Après avoir pris connaissance de ce volumineux et très complet dossier, ces messieurs du Bureau des commissaires votèrent à l'unanimité pour que l'ancien système soit réinstallé. On publia donc une nouvelle demande de soumission dans le journal. La suite du service de traversiers fut assuré par:

1915-1917:   *Canada Steamships Line Corp.*
          Bateaux: *Le White Star*
                      Le Pierrepont

1918-1921:   *Compagnie J.O. Normand*
          Bateaux: *Le Duchess of York*
                      Le Chateauguay.

1922-1928:   *Capitaine J. Rinfret*
          Bateaux: *inconnus*

Monsieur Normand avait aussi la responsabilité de la vente et de l'exploitation des jeux[9].

Le capitaine Rinfret avait aussi la responsabilité de la vente et de l'exploitation des jeux[10].

L'histoire ne dit pas ce qu'il est advenu de ces traversiers à vapeur que les ponts rendirent désuets. Heureusement des photos, des articles de journaux et des souvenirs vivants, prouvent l'apport important des "steamboats", comme on les appelait, pour l'économie portuaire de cette époque.

Cette ère est maintenant révolue, mais des copies de ces majestueux vaisseaux sont en service aujourd'hui pour le plus grand plaisir des nostalgiques de ce temps.

***

À chaque printemps, même quand l'air était vif, les mordus de la nature aimaient bien venir dans l'île observer les oiseaux, les petits animaux et faire la cueillette de l'ail des bois. Les institutions d'enseignement montréalaises, pour leur part, considéraient l'île Sainte-Hélène comme la plus belle école de botanique et de biologie qui puisse exister en milieu naturel.

Pendant la saison estivale, plusieurs établissements privés ainsi que des corps publics de la ville de Montréal préparaient des sorties pour les enfants défavorisés. Le journal La Presse, notamment, y organisait des pique-niques tandis que la division des Terrains de jeux de la Ville planifiait des activités et des carnavals.

Une lettre datée du 11 novembre 1909, adressée au docteur S. Boucher, directeur du service de la Santé de la ville de Montréal, décrit bien l'énorme distribution de billets de faveur émis pour traverser à l'île Sainte-Hélène.

Juin	18	St-Patrick's Orphanage	(500)
	20	West End Mission	(100)
	25	Italian Presbyterian Church	(100)
	23	Orphelinat St-Arsène	(600)
	23	Boy's Home of Montréal	(100)
	24	University Settlement of Montréal	(500)
	25	Charity Organization Society	(1 000)
	25	Assistance publique	(200)
	26	Federation of Jewish Philanthropies	(2 000)
	26	Royal Edward Institute	(25)
	26	Oeuvres de la Paroisse Saint-Jacques	(1 000)
	27	Chalmers House Settlement	(40)
Juil.	04	St-John Mission	(25)
	04	Pte St-Charles Community House	(400)
	09	Patronage St-Vincent-de-Paul	(200)
	10	Capt. Chas. Rouillard (enfants pauvres)	(100)
	15	Docteur Gadbois-Terrains de Jeux	(3 120)
	22	Federation of Jewish Philanthropies	(500)
	22	Children's Memorial Hospital	(1 000)
	22	Baby Welfare Committe	(1 000)

L'île Sainte-Hélène était également fréquentée pendant l'hiver. Lors d'un carnaval organisé par le Comité de l'Est de la Ville, en 1885, on y avait aménagé un vaste camp de trappeurs. Le Club de la Casquette, pour les mordus de la raquette, y avait établi un bivouac pour les activités de fin de semaine. Il y avait aussi les patineurs et les amateurs de "traîne sauvage".

Dans les années 1880, une voie ferrée était construite entre Montréal et Longueuil dès que les glaces étaient assez épaisses pour supporter le poids d'un train. Au printemps, le passage du train, d'une rive à l'autre du fleuve, devenait excitant. C'était à qui prendrait la dernière traversée avant la débâcle.

Le Canadian Illustrated News du 15 janvier 1881, rapporte un accident qui eut lieu entre Montréal et Longueuil:

«...Cet accident est survenu la semaine dernière, près de Longueuil, sur la voie ferrée que l'on vient de poser. Il semble que, pour s'assurer de la sécurité de la voie, on fit d'abord tirer par des chevaux un bon nombre de wagons jusqu'aux environs du milieu du fleuve, et que de là une petite locomotive les ait acheminés jusqu'à la rive d'Hochelaga. C'est de cette façon que les huit wagons traversèrent le fleuve, après quoi la locomotive retourna vers un second convoi de dix-sept wagons qui n'avait pas été amené aussi

La traversée sur les glaces. Vers 1882. Gravure sur bois.
Frédéric B. Schell. Archives nationales, Ottawa.

loin de Longueuil que le précédent. Cette nouvelle expérience réussit. L'audace croissant, le troisième convoi fut laissé tout près de Longueuil, et la locomotive se dirigeait vers lui, quand le chauffeur sentit que le rail droit s'enfonçait. Il cria aussitôt: "Sauve qui peut!" et sauta de la locomotive sur la glace, sans se blesser. Avant qu'il n'ait pu reprendre ses esprits, la locomotive avait disparu, ne laissant plus voir qu'une eau tourbillonnante et des traverses rompues, éparpillées çà et là.»

L'accident ne retarda pas longtemps le fonctionnement du chemin de fer car la voie fut déplacée d'environ 150 pieds de l'endroit où l'accident s'était produit, et les communications immédiatement rétablies sur la nouvelle voie.

Il faut croire que les mésaventures les plus périlleuses ne refroidissaient pas les esprits aventureux de nos pères. Heureusement car cela donne une saveur à notre passé que nous ne retrouvons nulle part ailleurs.

***

Le lendemain de cette merveilleuse journée, Alfred partit à son travail comme d'habitude. Quelle ne fut pas sa surprise en arrivant de voir des pompiers arroser les dernières braises de son gagne-pain. Tout ce qu'il put apprendre, c'est que tout avait sauté pendant la nuit. Personne n'avait été blessé mais l'édifice était une perte totale.

Il retourna à la maison, accablé.

— Que fais-tu ici, demanda Adèle, en voyant Alfred, es-tu malade?

— Non, pire. Il y a eu une explosion à la compagnie cette nuit. Il ne reste rien, plus rien.

Adèle était bouleversée.

— Mon pauv' Alfred, le sort s'acharne sur nous.

Ce soir là, Alfred refusa de manger et s'installa dans sa chaise. Pensif, il fixait la fenêtre.

Les filles n'avaient jamais connu leur père aussi silencieux.

Anna monta sur les genoux d'Alfred et se blottit contre sa poitrine. Celui-ci passa les bras autour de sa «Noire cochon» et l'embrassa sans dire un mot.

Quelques jours plus tard, son patron le convoqua.

— Tu sais, Alfred, j'ai l'intention de tout recommencer, mais ça va prendre un certain temps. Je voulais te dire que je désire te garder, mais je sais que t'as une famille et que tu pourras pas attendre très longtemps. Aussi, comme j'ai beaucoup d'estime pour toi, je vais t'envoyer rencontrer Jules Crépeau. Il est secrétaire à la Commission des parcs et traverses de Montréal. Il pourra peut-être te trouver quelque chose.

Le patron lui tendit une enveloppe.

— Tiens, j'ai préparé une lettre d'introduction. Tu lui remettras ça de ma part.

— Merci beaucoup, Monsieur Sévigny. Je vous suis très reconnaissant.

— C'est rien, c'est la moindre des choses.

Les deux hommes se serrèrent la main.

Alfred obtint rendez-vous avec Jules Crépeau la semaine suivante. Celui-ci était un homme influent et affable qui connaissait beaucoup de monde. Il savait reconnaître les points forts et les points faibles de tous et chacun et il utilisait ses talents avec efficacité lorsqu'il considérait qu'une cause en valait la peine.

— Ce que je peux faire pour vous, Monsieur Dubois, c'est vous référer au Service de la police. Normalement, on n'engage que des jeunes dans la vingtaine, mais je sais pertinemment que quelques fois on fait exception. Avec la lettre de mon ami Sévigny, qui, en passant, est très élogieuse à votre égard, et un bon mot de moi, dit-il en faisant un clin d'oeil, je suis persuadé que vos trente-neuf ans ne seront pas un handicap. Ils ont parfois besoin d'hommes mûrs pour freiner l'élan des plus jeunes. D'autant plus que vous avez de l'expérience dans l'entraînement des hommes.

Etre policier souriait à Alfred. Il se sentait en bonne forme malgré son asthme qui, d'ailleurs, ne se manifestait plus que très rarement.

Alfred fut engagé.

***

*L*e 14 septembre 1840, le premier Comité de police qui était aussi un Comité d'hygiène, fut formé. La Charte autorisait le Conseil à:

"... pourvoir à l'organisation, à l'équipement, au maintien et à la discipline d'un corps de police ou de constables dans la Cité, avec pouvoir de réglementer la résidence, la classification, le rang, le service, l'inspection et la distribution des membres dudit Corps et de prescrire leurs devoirs; autoriser le maire, en cas d'urgence, à nommer autant d'officiers de police temporaires qu'il le jugerait nécessaire, à un salaire fixé par le Conseil, pourvu que les officiers de police ainsi nommés ne restent pas en fonction pendant plus d'une semaine, sans le consentement du Conseil; pourvoir à la punition par destitution ou par amendes ou par emprisonnement ou les deux à la fois, de tout membre du Corps de police, qui accepterait directement ou indirectement une somme d'argent, ou une gratification, ou de la boisson enivrante..."

Chaque constable recevait les objets suivants: un revolver, bâton, pardessus, casque en fourrure, blouse, képi d'été, tuniques, pantalons, mitaines et gants.

À partir de 1883, chaque policier avait un «Manuel de la police» décrivant les procédures à suivre dans l'accomplissement de leur travail.

Le Comité de police devint la Commission de la police lors d'un règlement adopté par le Conseil de police le 22 décembre 1899.

"... depuis le mois de février 1902 les nominations et promotions dans le corps de police sont faites d'après le mérite des examens écrits et oraux des candidats."[11]

Les deux petites-filles d'Alfred Dubois nous ont dit qu'il ne savait ni lire ni écrire ce qui est confirmé par les registres paroissiaux; alors comment expliquer qu'il soit devenu capitaine de police?[12]

Nous croyons qu'étant donné son âge et son expérience, il aurait eu son titre en commençant sa carrière en 1896, soit six ans avant le règlement de 1902.

***

Alfred ne travailla que quelques semaines à Montréal. Le printemps suivant, on lui proposa un poste permanent à l'île Sainte-Hélène: l'été, comme capitaine de police et allumeur du phare situé du côté de l'île Ronde sous la direction du gouverneur de l'île, monsieur Wilfrid Birtz Desmarteau et l'hiver, comme gardien.

Lorsqu'il en parla à sa famille, la réaction fut unanime car tous se souvenaient de leur merveilleuse visite à l'île Sainte-Hélène.

Après avoir vécu à la ville pendant presque vingt ans Alfred Dubois se dit:

— Peut-être qu'il ferait bon de vivre là...

1. Charles LeMoyne obtint de Louis de Lauzon, sieur de la Citière, une deuxième concession qui lui donnait l'île Sainte-Hélène et l'île Ronde en 1664-1665. Alexandre Jodoin et J. L. Vincent. Histoire de Longueuil et de la famille de Longueuil. Montréal, 1889. p. 34.

2. Joseph-Louis, alors agé de cinq mois, mourut le 22 octobre 1895 à l'âge de huit mois et deux jours.

3. Histoire de John Molson, Livre du Cent Cinquantième Anniversaire de la Brasserie Molson.

4. Ibid.

5. Année de construction du pont Jacques-Cartier.

6. Le journal L'Opinion Publique, du 6 août 1874, écrivait:" Un steamboat, Le Montarville, moyennant quinze sous aller-retour, compris, nous conduit en huit minutes à l'île."

7. Archives de Montréal, dossier de la Commission des Parcs et Traverses.

8. Ibid.

9. Ibid.

10. Ibid.

11. Cléophas Lamothe, Histoire de la corporation de la Cité de Montréal, 1903.

12. La photographie en page couverture de ce livre fait foi de son appartenance au "Corps de police".

DEUXIÈME PARTIE

1896-1916

CHAPITRE HUITIEME

Ile Sainte-Hélène

LES DUBOIS DÉMÉNAGERENT dans l'île Sainte-Hélène au début de mai 1896.

Vers la mi-avril, Alfred voulut inspecter les lieux de sa future résidence. Il se rendit donc au quai Victoria, accompagné d'Adèle, pour y emprunter le «Longueuil». À leur arrivée, un gardien les interpela:

— Oh! les touristes! Le traversier ne fonctionne que pour les employés. C'est seulement à partir du mois de mai que les visiteurs peuvent aller dans l'île.

— J'ai une autorisation de monsieur Crépeau.

Le préposé lut la lettre et s'aperçut qu'il avait affaire au nouveau gardien de l'île.

— Le traversier sera là dans une quinzaine de minutes, dit-il en lui remettant le laissez-passer. J'espère que vous ne trouverez pas la maison du gardien trop en démanche.

— Je suis bon menuisier. J'pense que je pourrai la remettre d'aplomb.

L'arrivée du traversier mit fin à la conversation. Le bateau effectua la traversée en une dizaine de minutes. Il faisait encore frais sur le fleuve et l'air était piquant. Au débarcadère, un homme les accueillit:

— Est-ce que je peux vous aider?

— Je suis Alfred Dubois, le nouveau gardien, et voici ma femme. On m'a dit que nous pourrions visiter notre future maison. Voulez-vous nous montrer le chemin?

— Certainement. Suivez-moi, c'est par ici. Je vais faire prévenir le gouverneur de votre arrivée. Il vous attend avec impatience.

En chemin, monsieur Saint-Pierre, c'était son nom, n'arrêtait pas de parler:

— Avez-vous des enfants? Ici dans l'île, il y a pas mal de monde; le gouverneur, monsieur Wilfrid Desmarteau,[1] les Dompierre et nous autres. J'oubliais les Roussin qui travaillent au Montréal Swimming Club. Ils viennent s'installer de l'autre côté de l'île pour l'été. On arrive bientôt. J'pense qu'il reste du bois. J'vais vous faire une attisée pour oter l'humidité.

À première vue, la maison semblait en assez bon état. Alfred estima que quelques réparations et un peu de peinture auraient vite fait de lui redonner un air neuf. Par contre, à l'intérieur, l'odeur de moisissure qui y régnait présageait des travaux plus importants.

Monsieur Saint-Pierre essaya d'allumer le poêle, mais la cheminée tirait mal et la pièce s'emboucana.

Ils sortirent en hâte et durent se contenter de visiter la maison de l'extérieur. Pointant du doigt, monsieur Saint-Pierre identifiait la pièce qui se trouvait derrière telle ou telle fenêtre.

— Ici, y a la salle de bain; là, la cuisine; ici, le salon. Les chambres sont en haut.

Après avoir fait une description détaillée de chaque recoin de la maison, Saint-Pierre amena Alfred chez le gouverneur.

— Bienvenue chez nous, Monsieur et Madame Dubois. J'espère que vous ne trouvez pas votre maison trop mal en point. Vous savez, un coup remise en ordre et avec votre touche, chère Madame, je suis certain qu'elle redeviendra coquette. Monsieur Saint-Pierre vous a sûrement dit que vous aurez de l'aide pour rénover.

Quand les Dubois retournèrent à Montréal, leurs filles les bombardèrent de questions mais Adèle et Alfred avaient réponse à tout.

— Oui, c'est une grande maison; oui, vous aurez chacune votre chambre. Il y a de belles lucarnes et une grande véranda. De la maison, on peut même voir le traversier accoster au débarcadère. Mais il va falloir nettoyer.

Le ménage à faire n'intéressait pas tellement les jeunes curieuses.

— Est-ce qu'il y a d'autres familles?

— Oui, et il y a des enfants du même âge que vous, répondit Adèle. Maintenant, il est temps de faire la vaisselle puis d'aller vous coucher. Vous avez de l'école demain.

C'est à travers des fous rires et des cris que les filles se mirent à la tâche. Lézy et Kilda étaient excitées à la pensée d'aller vivre sur l'île. Le souvenir du pique-nique était encore frais à leur mémoire.

Le lendemain lorsque Lézy et Kilda revinrent de l'école, Anna leur annonça:

— Maman vous attend pour remplir des boîtes. Moi, je l'ai aidée toute la journée. Maintenant, c'est à votre tour.

Lézy, cependant, avait perdu son bel enthousiasme de la veille.

— J'veux plus y aller à l'île. Je vais m'ennuyer à mourir, m'man, je vais perdre toutes mes amies.

— Hier, je t'ai dit qu'il y avait des jeunes de ton âge. Monsieur Saint-Pierre m'a dit qu'il serait heureux de te présenter à ses filles.

— Je suis certaine qu'elles ne connaissent pas les mêmes choses que moi.

Lézy avait toujours été attirée par ce qui était raffiné. À l'école, ses compagnes étaient celles qui venaient des meilleures familles. Elle était différente de ses soeurs qui avaient des goûts plus simples.

Lézy ne fut pas complètement convaincue mais se soumit à la volonté de ses parents.

Alfred retourna dans l'île pour préparer la maison. Avec l'aide de monsieur Dompierre, il démonta le poêle à bois.

— Avec un bon coup de brosse et de «mine à poêle», il va reprendre son air de jeunesse, dit Saint-Pierre qui était venu leur prêter main-forte.

Vint le tour de la cheminée et les trois hommes constatèrent avec étonnement à quel point son entretien avait été négligé.

— Ça n'a pas de bon sens d'être sale comme ça. Moi qui pensais qu'on passerait au travers du plus gros aujourd'hui. Si on finit les portes et les fenêtres, ça va être beau! dit monsieur.

Dompierre. J'pense que demain on va pouvoir commencer le deuxième étage. L'ancien gardien s'en servait pas. J'ai pas hâte de voir ce que ça cache. On devrait aller jeter un coup d'oeil, ça va être moins décourageant de le savoir tout de suite.

— C'est moins pire que je l'imaginais. Un bon lavage des murs et des plafonds, de l'aération et une peinture vont remettre les chambres en état.

Une semaine s'était écoulée depuis le début des travaux et déjà la maison avait changé d'allure. Adèle était venue avec les filles. Elles avaient tout lavé à grande eau. De plus, elles avaient mesuré les fenêtres afin de confectionner des rideaux et relevé les dimensions des pièces pour prévoir la disposition des meubles.

Les hommes terminèrent les rénovations et la peinture le vendredi suivant. Ils étaient fiers des résultats: la maison était superbe.

Les filles avaient bien travaillé. Alfred leur fit visiter l'île. Il les amena sur une colline d'où, à travers les arbres, Montréal leur apparut comme sur une carte postale. Le traversier, amarré au quai Victoria, semblait un jouet et les ouvriers sur le quai paraissaient minuscules. Vu de cette distance, la ville avait l'air d'un théâtre de marionnettes et cela fit rire Anna. Quant à Lésy et Kilda, elles étaient éblouies.

— Papa, c'est où la maison du gouverneur? demanda Lézy.

— De l'autre côté de l'île. De chez eux, on peut voir Longueuil. On ira voir un autre jour.

— Je suis contente que ça soit pas aujourd'hui. J'suis pas tellement présentable.

— Tu me le diras quand tu seras prête à y aller, dit Alfred en souriant de la coquetterie de Lézy.

Le jour du déménagement venu, l'excitation était à son comble. Lézy, dans la cuisine, finissait d'empaqueter la vaisselle pendant que Kilda surveillait l'arrivée des déménageurs. Anna suivait sa mère pas à pas et, lorsqu'Adèle eut fermé la dernière boîte, elle lui demanda:

— M'man, est-ce qu'on va rester longtemps là-bas?

— Oui, Anna. Ton père a trouvé un bon emploi et, aussi, une belle maison. C'est pas toutes les familles qui ont cette chance-là.

Kilda fit irruption dans la pièce.

— M'man, m'man les déménageurs sont là....

***

La veille de l'ouverture de l'île aux visiteurs, les Dubois furent invités à un goûter chez le gouverneur. Monsieur Desmarteau profita de l'occasion pour présenter officiellement le nouveau gardien et sa famille aux autres résidents estivaux.

— Monsieur Dubois occupera le poste de capitaine de police. Il sera responsable de la surveillance des lieux et aura à l'oeil nos visiteurs estivaux. La famille Dubois est déjà installée dans la maison du corps de garde près du débarcadère. Je leur souhaite la bienvenue parmi nous et je propose de leur montrer les beautés de notre île en y faisant un tour de calèche.

Il y avait quatre calèches pour les adultes et une charrette pour les enfants. Au fur et à mesure que les hommes prenaient place, le Gouverneur Desmarteau les présentaient.

— Monsieur Saint-Pierre que vous avez déjà rencontré et que tous ici appellent Saint-Pierre tout court. Monsieur Dompierre, menuisier-charpentier. Adressez-vous à lui lorsqu'il y aura des bris sur les biens appartenant à la Cité, surtout en ce qui concerne le débarcadère. Ils sont assez chatouilleux là-dessus à la Commission. Ils vont peut-être se décider à construire un vrai quai en ciment[2]. Voici monsieur Roussin qui est en charge du Montréal Swimming Club. Sa famille et lui sont installés dans les bâtiments du Club.

Les attelages s'engagèrent, dans un piaffement de chevaux, sur le chemin Maisonneuve. Le gouverneur reprit la parole:

— Vous voyez, ici, le rond-point Dufferin. Beaucoup de visiteurs aiment venir y pique-niquer. À votre droite le cimetière militaire. Un jour, il y aura, peut-être, un monument avec les noms gravés dessus.

Les calèches poursuivirent leur chemin.

— Le restaurant ici est bâti sur le site des jardins de la Baronne de Longueuil.

Le cortège enfila dans l'allée Hingston, longea les kiosques de jeux d'adresse, les chevaux de bois, l'atelier de photographie, la piste de course, les escarpolettes et emprunta l'avenue Lévis jusqu'au débarcadère où un groupe d'ouvriers s'affairait à terminer la construction du quai car il devait être prêt pour le lendemain.

Le petit défilé s'engagea sur le chemin Loranger pour finalement retourner à la résidence du gouverneur.

En arrivant, les enfants poussèrent des cris de joie à la vue de la table recouverte de victuailles. Les femmes n'étaient pas sitôt descendues de leur carrosse qu'elles se faisaient offrir du thé ou de la limonade tandis que les hommes avaient droit à une liqueur plus costaude. L'après-midi s'écoula dans la douce chaleur de juin.

*CARTE DE L'ILE SAINTE-HÉLENE: A. Mont Boulé; B. Mont Champlain; C. Mont Vaudreuil; D. Mont St. Sulpice; E. Mont Moncalm; F. Mont Wolf; G. Lac Arthur; H. Lac Frontenac; I. Rivière de Bienville; J. Rivière d'Iberville; K. L'Anse de la Poudrière; L. Presqu'Ile des Rochers; M. Falaise des Rochers; N. Grêve (sic)aux Ecrevisses; O. Ile aux Fraises; P. Ile Ronde; Q. Détroit Bonsecours; R. Détroit d'Hochelaga; S. La Pointe des Récifs; T. Baie des Récifs; U. Pointe Albert; V. Baie Viger; X. Promontoire du Tonnerre; Y. Pointe Coursol; Z. Baie des Rapides; 1. La prairie du Tonnerre; 2. Cap du Rapide; 3. L'Anse de la Rivière d'Iberville; 4. Promontoire Logan; * La formation d'Helderberg; 5. La Baie du Mess; 6. Quai Militaire; 7. Pointe Molson; 8. Baie Papineau; 9. Cap Morin; 10. Baie Lafontaine; 11. La Grande Grève Ouest; 12. Pointe aux Cailloux; 13. L'Allée des Ormes; 14. Rond-Point-Dufferin; 15. L'Allée Hingston; 16. Avenue de Lévis; 17. Vallée St. Jean Baptiste; 18. Vallée de Montenac; 18. (bis) Chemin Billings; 19. Vallée de Boucherville; 20. Allée Jacques Cartier; 21. Chemin Th. Wilson; 22. L'Allée Salabery; 23. Chemin Murray; 24. Chemin Duhamel; 25. Chemin Loranger; 26. Chemin Rivard; 27. Chemin McLaren; 28. Chemin Cherrier; 29. Chemin Maisonneuve; 30. Chemin Glendinneng; 31. Chemin McShane; 32. Casemates, Boulangerie; 33. Nouvel Arsenal; 34. Atelier des Charpentiers; 35. Corps de Garde; 36. Boulangerie; 37. Magasin Général; 38. Entrepot (sic) de bois de chauffage; 39. Cimetière Militaire; 40. Ancien Jardin de la Baronne de Longueuil; 41. Ancien Manoir; 42. Magasin de Cartouches; 43. Corps de Garde, Ancien Hopital(sic); 44. Vieille Batterie; 45. Vieux Cottage; 46. Escalier de l'ancien débarcadère; 47. Triangle Edouard; 48. Barrière des Militaires; 49. Ile aux Gorets; 50. Ile Moffat; 51. Quai St. Lambert; 52. Archipel de l'Ile Moffat; 53. Archipel de l'Ile aux Gorets; 54. Poudrière; 55. Roche Busby.* (Source : A. Achintre et J.A. Crevier. L'île Ste-Hélène, passé, présent et avenir : géologie paléontologie, flore et faune. 1876)

CARTE DE L'ÎLE Ste HÉLÈNE
DESSINÉE PAR J.A. CREVIER

Méridienne vraie.

N
O — E
S

ÉCHELLE D'ARPENTS.

BURLAND DESBARATS C?, PHOTO LITH.

Île Ronde

les aux Fraises

*N*ous avons trouvé dans le livre de Achintre et Crevier une description de la formation de l'île Sainte-Hélène.

«...la forme et les matériaux de l'île Sainte-Hélène sont dus à la lente accumulation des détritus de toutes sortes transportés par les eaux du fleuve qui, peu à peu, ont formé, à l'aide des débris arrachés au calcaire de la Vallée du Saint-Laurent...»[3]

L'île Sainte-Hélène était surtout utilisée comme lieu de rassemblement par les Français qui lançaient des expéditions contre les indiens hostiles qui vivaient sur les rives du Saint-Laurent.[4] Champlain fut le premier à en parler. En 1611, il écrivit: « Au milieu du fleuve y a une île d'environ trois quarts de lieue de circuit, capable d'y bâtir une bonne et forte ville, et l'avons nommée l'île de Sainte Elaine ».[5] Il abandonna ses bonnes intentions d'y bâtir une ville. Elle demeura un emplacement de stratégie militaire pendant 262 ans.

Le 19 juillet 1873, une résolution fut adoptée par le Conseil de ville de Montréal et transmise au ministre de la Milice pour obtenir l'autorisation d'établir un parc public sur l'île Sainte-Hélène.

Le 3 juin 1874, un ordre en Conseil fut adopté par le gouvernement fédéral accordant l'autorisation demandée aux conditions suivantes:

1. La ville devra garder sur l'île une force de police suffisante pour empêcher la destruction des arbres et pour que le public ne pénètre pas dans la partie réservée à des fins militaires;

2. L'introduction et la vente de boissons enivrantes dans l'île devront être prohibées;

3. Le public ne devra pas être admis avant 8 heures du matin ni après le coucher du soleil;

4. Aucun bâtiment ne devra être érigé sans le consentement du gouvernement de la Puissance;

De plus, cette autorisation est stipulée révocable en tout temps sur simple avis à cet effet, donné par le gouvernement ou par l'officier chargé du commandement des forces militaires à Montréal.[6]

Célébration des fêtes de la Saint-Jean-Baptiste sur l'île Sainte-Hélène vers 1874. Gravure sur bois; artiste inconnu. Archives nationales, Ottawa.

Le 25 juin 1874, une grande fête fut organisée pour souligner l'événement. Six mille personnes s'y rendirent, à bord de trois vapeurs (Le Montarville, le Sainte-Hélène et le Longueuil) pour entendre des airs populaires de l'époque. Le concert donné par 23 corps de musique et 600 choristes fut mené par Jean-Baptiste Labelle[7], le maître de chapelle de l'église Notre-Dame. On peut dire que ce fut l'ouverture officielle de l'île.

«...La Ville de Montréal devint propriétaire de l'île par l'obtention de lettres patentes datées du 23 décembre 1908, au terme de négociations entre Sir Wilfrid Laurier et le maire Médéric Martin, négociations qui avaient été entreprises trois ans plus tôt. Tout avait commencé le 6 décembre 1905 par le transfert des titres de propriétés du ministère de la Milice à celui de l'Intérieur. Après que la Législature provinciale eut approuvé un règlement d'emprunt de $250,000 de la Ville, y compris les $200,000 destinés au Gouvernement fédéral, la vente fut sanctionnée le 20 juillet 1908 par Edward VII.[8]

Certaines dispositions de l'acte de vente stipulaient que:

1. l'île ne pourra être utilisée pour aucune autre fin que celle d'un parc public;

2. un petit emplacement au sommet (désigné par le Maître d'Ordonnance) devra rester libre de toute construction pour prévoir le cas où, à l'avenir, on pourrait requérir tel emplacement pour des fins militaires;

3. il sera permis au Département de la Milice et de la Défense d'occuper les magasins actuels et le terrain enclos d'une haie, et, gratis, jusqu'à ce que de nouveaux magasins stratégiques aient été construits ailleurs; le tout avec droit de passage.[9]

La vente fut conclue, le 23 décembre 1908 à Ottawa, pour la somme de $200,000.[10]

La Commission des Parcs et Traverses de la Ville de Montréal, recommanda, lors de son assemblée du 31 mai 1909, qu'une somme de $2,000 soit affectée à la préparation d'un plan général pour des améliorations.

«...la cité de Montréal ouvrit un concours à tous les architectes pour l'embellissement de l'île. Le rapport du jury chargé de juger les projets de ce concours fut soumis à l'assemblée de la Commission des Parcs et Traverses, le 13 janvier 1910. Ce jury recommandait de primer les projets soumis par les Ateliers d'Art Architectural, par MM. Asselin et Perron et par M. W.Ormiston Roy...»[11]

Par la suite, la ville de Montréal demanda à la population de lui faire parvenir des suggestions de projets pour l'utilisation de l'île. Plusieurs projets, des plus sérieux aux plus farfelus, aboutirent sur les bureaux de la Mairie:

— transformation des vieilles casernes en musée;
— entretien du cimetière militaire;
— étiquetage des arbres;
— reconstruction du Manoir de Longueuil;
— utilisation des baraquements par les familles défavorisées;
— jardin botanique;
— immense jardin zoologique;[12]
— train aérien entre le parc Mont-Royal et l'île[13].

Nos recherches ne nous permirent pas d'établir quels projets furent réalisés. Nous savons cependant que la Ville exécuta de nombreux travaux dans l'île pour la rendre plus attrayante.

À cette époque le Montréal Swimming Club, un club de natation privé inauguré en 1874, occupait une des berges près de l'île Ronde. Le parc d'amusement fut rénové et l'on érigea un splendide restaurant sur le site des anciens jardins de la Baronne de Longueuil. Les prévisions budgétaires furent dépassées de près de 4,000$.

La Presse, dans son édition du 20 mai 1905, publiait les dires du mage Papou-Gaba-Abido. Ce dernier qualifiait l'île Ste-Hélène de «Joyau perdu dans la fange», «d'Éden Populaire» et de «Coney Island Canadien». Cependant, le mage prédisait un avenir incomparable à cette terre reliée à la ville par un traversier. Une véritable prémonition si on pense aux installations de Terre des Hommes et de la Ronde en 1967. Le Comité exécutif de Montréal avait approuvé un plan préparé par Frédérik G. Todd, membre de la Commission d'Urbanisme de Montréal et accepté par J. Elie Blanchard, directeur des travaux publics pour relier les trois îles; l'île Sainte-Hélène, l'île Ronde et l'île Verte.[14]

De nos jours, l'île Sainte-Hélène a perdu un peu de son cachet de jadis, mais n'en demeure pas moins un espace de repos prisé par les citadins.

***

Un mois s'était écoulé depuis l'arrivée des Dubois. L'île était ouverte aux visiteurs.

À chaque matin, la sirène du premier traversier annonçait le début de la journée de travail. Le bateau amenait à son bord les onze policiers qui travaillaient sous les ordres d'Alfred, les employés d'entretien ainsi que le courrier. Un des policiers était chargé d'apporter le sac postal. Adèle et Lézy triaient et distribuaient lettres et colis aux familles.

— Bonjour Capitaine, v'là le courrier. Les hommes sont en forme aujourd'hui? Heureusement, parce qu'il va en faire une chaude. Ça va nous amener pas mal de monde.

— Bonjour Bernier, j'voudrais que tu dises aux gars, qu'hier, j'ai encore eu un rapport de la caserne militaire. Des civils ont passé la barrière. Il faudra surveiller de ce coté-là.

— Entendu, monsieur Dubois. Il faudrait peut-être mettre un homme de plus de ce côté-là?

Alfred Dubois (au centre) et deux employés en congé.

— Trois hommes au rond-point Dufferin suffiront. C'est toujours des familles qui s'installent là. C'est pas eux autres qui causent le plus de problèmes.

— D'accord, dis à Lorenzo d'aller à la barrière, et dis aux hommes de faire leur ouvrage au lieu de courtiser les jeunes femmes. Ils sont ici pour travailler.

Alfred effectuait la première de ses quatre tournées quotidiennes dès six heures le matin. Il s'assurait que la barrière du chemin des militaires était fermée; ensuite il se rendait chez le gouverneur pour recevoir ses ordres pour la journée; il allait aux kiosques d'amusements et de rafraîchissements vérifier si tout allait bien. Il en profitait pour s'entretenir avec les concessionnaires.

Alfred terminait cette première ronde en allant chercher le journal au débarcadère. Revenu chez lui, Adèle ou Lézy lui lisait les dernières nouvelles pendant qu'il déjeûnait.

La vie dans l'île plaisait bien à Adèle. Elle sut rapidement tirer profit de toutes les possibilités qu'offrait ce nouvel environnement.

Pique-nique à l'île Sainte-Hélène. Vers 1876. Gravure sur bois. W. Scheuer.
Archives nationales, Ottawa.

Au printemps, on profitait d'un généreux cadeau de la nature. En effet, les asperges sauvages, probablement un vestige du jardin de la Baronne de Longueuil, poussaient en quantité à l'île Ronde. Le plus grand plaisir des riverains devait être celui de s'y rendre car de Longueuil ou de Montréal, il fallait une barque. On profitait d'une belle journée pour aller y pique-niquer et les asperges devenaient alors un merveilleux prétexte pour l'aventure.

***

Lézy avait quatorze ans. Elle était coincée entre adultes et enfants. Il y avait bien les filles de monsieur Saint-Pierre mais, de l'avis de Lézy, elles ne pouvaient remplacer ses amies de la ville. De plus, son père lui avait interdit d'explorer l'île sans être accompagnée d'un adulte. Elle se sentait prisonnière et cela la rendait maussade. Elle enviait ses soeurs que cette forme d'exil ne semblait pas déranger.

Adèle avait remarqué l'attitude agressive de son aînée. L'occasion se présenta, alors qu'elles pliaient du linge ensemble, de connaître le fond de la pensée de sa fille:

— Maman, est-ce qu'on va retourner à Montréal à l'automne?

— Ben non voyons, tu le sais bien. C'est ici notre chez nous maintenant. Pourquoi tu me demandes ça?

— Parce que ...j'aime pas ça ici.

Adèle s'approcha de sa fille et la serra contre elle.

— Ma pauvre fille, va bien falloir que tu aimes ça. Ton père a trouvé un bon emploi ici. À moins qu'il fasse pas l'affaire, on va rester pour un bout de temps.

— Je sais, mais je m'ennuie tellement. Papa ne veut pas qu'on s'éloigne de la maison.

— Lézy, je comprend que ça doit pas être facile pour toi, mais si on est ici, c'est en grande partie pour vous autres. Tu vas voir, on est toujours récompensé quand on est patiente. Tes soeurs s'en vont aux fraises, accompagne-les donc.

— Mais, m'man...

— Lézy, tu voulais sortir du terrain, là tu en sors.

Adèle les entendit descendre l'escalier de la véranda et sourit en pensant à la surprise qu'elle allait préparer à Lézy.

Le printemps hâtif avait fait naître de beaux fruits et la récolte fut généreuse. Adèle prépara des confitures et des tartes.

— M'man, pourquoi vous avez fait tant de tartes? On sera jamais capable de manger tout ça, dit Lézy.

— Y en a quelques-unes pour le gouverneur et sa dame. Tu iras les porter demain.

— J'pourrais y aller aujourd'hui.

— Non, non, non, j'ai dit demain.

Le lendemain, comme d'habitude quand les journées s'annonçaient belles, les pique-niqueurs arrivèrent tôt. Adèle rappela à Lézy sa commission pour les Desmarteau.

— Lézy, va mettre ta robe rouge, puis quand tu seras prête, tu iras porter les tartes.

— Mais c'est ma robe du dimanche.

— Allez, va te changer!

Lézy obéit et lorsqu'elle fut changée et recoiffée, elle prit les tartes recouvertes d'un linge blanc empesé et partit.

— Lézy, cria Adèle sur le pas de la porte, en revenant, ramasse des fleurs, ça va faire beau sur la table...

À son retour, malgré la distance qui la séparait encore de la maison, Lésy vit qu'il y avait des gens installés à l'ombre des lilas. Elle ne reconnut pas les Dussault immédiatement, mais en se rapprochant de la maison, elle reconnut son amie Paulette. Lésy, alors, comprit tout: les chuchotements de ses parents, les tartes, la robe...

Elle courut à sa rencontre.

Les deux amies passèrent la journée à se raconter leurs petits secrets. Le temps fila car les conversations ne tarissaient pas. Les Dussault acceptèrent l'invitation à souper et profitèrent de leur visite jusqu'au dernier traversier.

Sur le quai, madame Dussault dit à Lézy:

— Si tes parents le veulent bien, cela me fera plaisir que tu nous rendes visite quelques jours.

— J'aimerais ça, dit Lézy en regardant vers ses parents.

— On verra, peut-être qu'on pourra s'arranger, lui dit Adèle.

Avant de se mettre au lit, Lézy embrassa sa mère.

— Merci beaucoup pour la belle surprise. Ça m'a fait vraiment plaisir de revoir Paulette.

— Je suis bien contente que ça te redonne le sourire. Tu sais, tu peux lui écrire à ton amie. C'est comme ça que je les ai invités: avec une lettre. C'est pas tout à fait comme si elle était là, mais c'est mieux que de pas avoir de nouvelles du tout. Tu penses pas?

À partir de cette journée, Lézy reprit sa bonne humeur et ne parla plus jamais d'ennui.

---

1. M. Wilfrid Birtz Desmarteau fut gouveneur de l'île Sainte-Hélène de 1888 à 1909.

2. La ville ne fit jamais construire de quai en ciment sur l'île Sainte-Hélène avant d'en faire l'acquisition le 23 décembre 1908 parce qu'avant cette date elle n'avait droit qu'à l'usufruit. Le quai permanent fut inauguré le 5 août 1911.

3. A. Achintre et J.A. Crevier. L'île Ste-Hélène, passé, présent et avenir : géologie paléontologie, flore et faune. 1876

4. Production du Musée militaire et Maritime. Le Vieux fort de l'île Sainte-Hélène.

5. Oeuvres de Champlain. p. 245.

6. Cléophas Lamothe. Histoire de la corporation de la cité de Montréal. 1903. page 101.

7. Lionel Lapointe. Canadian Antiquarian and Numismatic Journal,4e série. Vol.IV. 1933. p. 83

8. Article de La Presse, le 17 avril 1988.

9. Lionel Lapointe. Canadian Antiquarian and Numismatic Journal,4e série. Vol.IV. 1933. p. 85

10. Archives de la ville de Montréal, dossier de la Commission des parcs et traverses. Copie du contrat d'achat de l'île Sainte-Hélène.

11. Lionel Lapointe. Canadian Antiquarian and Numismatic Journal,4e série. Vol.IV. 1933. p. 87

12. Ibid.

13. Album Universel. Projet de J.R. Mainville. Le 26 avril 1902.

14. La Presse, le 19 octobre 1931.

Chapitre Neuvieme

L'île en fête

La veille de l'inauguration de la saison d'été 1898, un banquet fut servi aux villégiateurs de l'île. Le Gouverneur Desmarteaux tenait beaucoup à cette rencontre annuelle qui lui permettait de tâter le pouls de ses employés et de leur faire part des nouveaux projets et des demandes imposées par la ville. Le soir venu, Lézy et Kilda commentaient la fête.

— Madame Desmarteau portait une belle robe. J'ai hâte d'en porter des aussi belles, dit Lézy.

— C'est vrai qu'elle était belle. Mais moi j'ai préféré les jeux aux robes, reprit Kilda.

— Tu ne comprendras jamais l'importance de l'étiquette et de la bienséance, dit Lézy déconcertée. Tu vas voir, quand tu seras plus grande, tu changeras bien d'idée.

— Moi de toute façon, dit Kilda, je vais aider du monde, quand je serai grande et j'aurai pas besoin d'être bien habillée. Pour l'instant, quand je veux courir pis que je suis en belle robe, ça me dérange.

— Kilda, t'auras jamais de bon sens.

Adèle qui avait suivi la conversation intervint:

— Lézy, veux-tu laisser ta soeur penser ce qu'elle veut! Elle vient d'avoir treize ans, toi t'en as seize! C'est normal que vous ne pensiez pas pareil.

— Ça ne me dérange pas, m'man, que Lézy ne pense pas comme moi, c'est pas important.

Lézy, muette de colère, regarda sa soeur avec aménité.

— Je sais bien que ça ne te dérange pas, reprit Adèle, mais c'est pas une raison pour faire fâcher ta soeur.

— Mais je veux pas la faire fâcher, moi, c'est elle qui...

— Ça suffit Kilda, dit Adèle, c'est quand même toujours ça qui arrive quand vous êtes ensemble. Maintenant, dormez.

***

Anna aimait bien être avec son père lorsqu'il toilettait les chevaux. Pour Alfred, bouchonner et étriller sa monture, après chaque tournée, n'étaient pas une corvée mais un plaisir qu'il avait su communiquer à sa fille cadette.

Anna s'était réservé une place de choix sur une botte de foin près des stalles. De là, elle observait attentivement les moindres gestes d'Alfred.

— P'pa, est-ce que ça lui fait mal quand tu grattes son sabot comme ça?

— Non, mais il n'aime pas être sur trois pattes. Faudrait bien que le forgeron vienne faire un tour. Les deux bêtes auraient besoin d'être rechaussées.

— Rechaussées? reprit Anna, avec des souliers?

— Non pas des souliers, des fers, lui répondit Alfred avec un sourire.

Quand Alfred eut terminé la toilette de ses bêtes, il proposa à sa fille d'aller faire une randonnée. Il sella la jument et assit Anna devant lui.

Ils se rendirent jusqu'à la vallée Saint-Jean-Baptiste et les paysages semblaient sans cesse se renouveler comme par magie. Anna, sans s'imposer, s'était taillé une place dans l'espace de son père. Cela s'était fait tout doucement: Anna posait les questions et Alfred y répondait.

***

Le lendemain, le «Longueuil» piloté par le capitaine Mandeville accosta à l'île Sainte-Hélène. Lézy et sa mère assistèrent alors à un spectacle étonnant.

Une jeune femme somptueusement vêtue était installée sur un palanquin, porté par deux hommes. Deux autres personnes transportaient, non sans difficulté, un énorme panier d'osier pendant qu'une troisième guidait le groupe à travers la haie de curieux qui s'était formée autour d'eux.

— J'ai jamais vu ça, dit Adèle étonnée.

— C'est qui cette femme-là? demanda Lézy.

— C'est sûrement quelqu'un pour le gouverneur. Il aurait pu nous avertir. Lézy va chercher ton père; il va savoir quoi faire, c'est lui le capitaine de police, après tout!

Lézy, excitée, oublia tout de l'étiquette d'une jeune fille de bonne famille et partit, jupe et jupon relevés.

Alfred arriva à bout de souffle:

— Qu'est-ce qui y'a Adèle? Lézy est arrivée en trombe en me montrant la maison, j'pensais que c'était toi.

— Ben non, c'est pas moi, c'est eux-autres.

À la vue de cette scène bizarre, Alfred s'exclama:

— Veux-tu bien me dire... C'est pas des chrétiens ces gens-là.

Le cortège exotique s'était installé dans un enclos formé par des arbustes. Les porteurs avaient déposé avec précaution le palanquin. Les deux servantes sortirent du panier un tapis, des coussins, une petite table basse qu'elles s'efforçaient de disposer à la satisfaction de l'Aînée.

Quand tout fut placé, elles aidèrent leur maîtresse à se lever. Celle-ci marcha avec difficulté de la chaise au tapis sur lequel elle s'assit gracieusement en s'appuyant sur les coussins. Les deux servantes s'agenouillèrent alors près d'elle, telles des statues immobiles. Les deux hommes étaient aussi agenouillés derrière le palanquin tandis que l'Aînée s'affairait à retirer du panier vaisselle et victuailles.

De la maison, tous observaient le tableau.

Lézy, curieuse, avait fait un détour et avait pu observer les visiteurs insolites de près.

— Vous le croirez jamais, ils ont les yeux en amandes et la Princesse a des pieds tout petits comme des pieds d'enfants. As-tu vu quand elle marche? on dirait qu'elle a mal aux pieds, elle boite. Une chose est sûre: elle doit être riche cette femme-là pour avoir tant de serviteurs. Leurs vêtements sont tout brodés.

— Je pense que c'est des chinois, dit Alfred. Va falloir que je rapporte ça au gouverneur.

L'Ainée s'adressa à une des servantes et lui remit une théière en porcelaine. La servante se leva, la salua et se dirigea vers la maison des Dubois.

Adèle accueillit l'Asiatique qui lui parlait dans une langue incompréhensible.

— Qu'est-ce que je peux faire pour vous?

La femme lui sourit et lui tendit la théière joliment décorée de dragons et de paysages chinois.

— C'est de l'eau chaude que vous voulez? dit Adèle en mimant le mouvement de verser du liquide dans le vase. La femme fit un signe affirmatif de la tête.

— Je vais aller vous chercher ça. Quand elle revint de la cuisine avec la théière remplie d'eau chaude, la femme lui remit quelques sous.

— C'est peut-être pas des chrétiens mais ils sont très bien élevés ces gens là, commenta Adèle à haute voix.

Ce petit échange ne passa pas inaperçu. Dès le lendemain un homme se présenta chez les Dubois:

— J'ai vu une dame venir chercher de l'eau chaude, hier. J'en aurais besoin, moi aussi.

— Ben, je sais pas si je peux...

— C'est bien certain que je vous paierais pour votre dérangement.

Adèle remplit la théière d'eau et l'homme lui donna trois sous.

— Merci beaucoup, Madame, bonne journée.

Le mot avait dû se passer car toute la journée ne fut qu'un va-et-vient continuel et il n'était plus question pour les filles de s'absenter de la maison. Elles devaient aider à la distribution de l'eau.

Lorsqu'Alfred apprit ce qui se passait à la maison, il fut choqué du sans-gêne des gens.

— Alfred, y a rien de ce côté-ci. Tu peux pas demander au monde de faire le tour juste pour un peu d'eau chaude. Moi ça ne me dérange pas et ça nous fait un petit revenu supplémentaire.

— Je vais en parler au gouverneur, s'il est d'accord, tu pourras continuer à faire comme tu l'entends.

Le gouverneur ne trouva pas à redire sur le commerce que les femmes Dubois exerçaient. Adèle apprit la bonne nouvelle à ses filles et leur promit que les sous recueillis durant l'été leur reviendraient.

La Dame chinoise et sa suite revenaient à chaque fin de semaine. Le groupe s'était cependant rapproché de la maison et, souvent, Lézy leur apportait elle-même l'eau pour le thé. Elle aimait regarder les beaux objets qu'ils transportaient avec eux et, même si elles ne parlaient pas la même langue, une entente tacite s'était établie entre l'adolescente et la jeune maîtresse.

À la fin de l'été, Lézy reçut en cadeau de la jeune princesse, une boîte métallique finement ciselée contenant du thé au jasmin et une pochette brodée. Lézy voulait lui offrir quelque chose en retour.

— Qu'est-ce que je pourrais lui donner? Riche comme elle est, je ne peux pas lui offrir n'importe quoi. Qu'en-pensez-vous maman?

— Les cadeaux qu'elle t'a donnés sont des cadeaux simples. Fais comme elle. Je suis certaine qu'un beau mouchoir de dentelle te représenterait très bien.

La fin de semaine suivante, Lézy attendit impatiemment sa visiteuse. À chaque fois que le vapeur faisait entendre sa sirène, Lézy espérait la voir arriver. Mais en vain. Le dimanche, au dernier traversier, Lézy comprit que sa nouvelle amie ne reviendrait jamais. Elle en conclut que le cadeau qu'elle avait reçu en était un d'adieu. Elle monta dans sa chambre et glissa dans la boîte le mouchoir de dentelle qu'elle avait choisi pour la princesse. Il y a des souvenirs qui se doivent de vieillir ensemble.

***

Les policiers, sous les ordres d'Alfred, avaient accompli du bon travail. Ils avaient réussi à maintenir l'ordre. Alfred voulut les récompenser et il invita ses dix-huit constables à une épluchette de blé d'Inde.

La fête eut lieu le samedi suivant la fermeture de l'île au public. Il fallait voir l'air ébahi des policiers devant l'abondance des épis entassés à même le sol. Ces citadins participaient à une épluchette pour la première fois.

— Monsieur Dubois, qu'est-ce qu'il faut faire avec ce blé d'Inde-là?

— D'abord, il faut l'éplucher! Le premier qui trouvera l'épi rouge aura une surprise, répondit Alfred avec malice.

Au signal d'Alfred, tous se précipitèrent, en poussant des cris de joie sur l'amoncellement d'épis. Pressés les uns contre les autres, ils arrachaient les feuilles à pleines mains.

— Qui va trouver l'épi rouge?

— C'est moi, répondit Gustave.

— Moi, je suis venu pour avoir du plaisir, fit un autre qui, en mettant des feuilles sur ses oreilles, avait pris l'allure d'un âne.

— Ne cherchez plus, c'est moi qui l'a!

Celui qui avait trouvé l'épi était Ernest Gratton, une recrue de dix-huit ans.

— Ernest, veux-tu savoir quelle est la surprise que l'épi rouge te réserve?

— Certainement, capitaine.

— La tradition veut que celui qui trouve l'épi rouge soit le roi de la fête. Ça donne de la chance et puis, si ton coeur n'est pas engagé, ça te donne le droit d'embrasser qui te plaira dans l'assistance.

— Je peux vraiment choisir qui je veux, monsieur Dubois ?

— Comme je te dis, mon jeune, qui tu veux.

Alors Ernest se promena à travers l'assistance, regarda, observa, admira, fit des mines irrésistibles. Tous rirent de bon coeur et tous se demandèrent qui il choisirait. Ernest Gratton surprit tout le monde: son élue n'était nulle autre que la fille aînée du capitaine de police. Il embrassa Lézy bien chastement sur les joues. Un silence lourd s'abattit sur le groupe. Tous les regards convergèrent vers Alfred qui réalisa qu'il venait de se faire avoir. Ce fut l'hilarité générale. Quant à Lézy, la surprise et l'embarras l'avaient empêchée de réagir.

— Je vous avais demandé si je pouvais embrasser qui je voulais. Vous m'avez répondu oui. Vous ne pouvez pas m'en vouloir; votre fille est tellement belle.

— Tu m'as bien eu, mon "vlimeux".

La fête se poursuivit avec des "reels" et des chansons à répondre. Le capitaine du traversier, Jean-Pierre Gaulet, avait également été invité. Aux petites heures du matin, on put voir, exceptionnellement, le « Cultivateur», glisser sa masse sur le Saint-Laurent, avec, à son bord, des gens heureux de s'être amusés.

Le lendemain, Alfred taquina Lézy:

— Tu m'avais pas dit ça que le petit Gratton t'avait à l'oeil.

Lézy ne répondit pas et s'occupa à débarrasser la table du déjeuner.

— Tu sais Lézy, c'est un bon gars. Il est débrouillard, y a peur de rien, même pas de moi!

Lézy continua à faire la sourde oreille.

— Lézy, persista Alfred, t'aurais pu m'en parler qu'il te courtisait.

— P'pa, je veux pas être impolie, dit Lézy, astiquotée par le ton moqueur de son père, mais ce qui s'est passé hier, c'était....En tout cas, j'ai été aussi surprise que vous. Je ne veux plus jamais le voir, ce fou-là. L'avez-vous vu faire le jars devant tout le monde après m'avoir embrassée. J'ai jamais été aussi humiliée de ma vie.

Kilda et Anna avaient observé la scène en silence.

— Qu'est-ce qui lui prend, à Lézy, d'être fâchée comme ça, ricana Kilda.

— Les filles, ne faites pas de farces sur ce qui s'est passé hier, ordonna Adèle qui connaissait la susceptibilité de son aînée.

***

Kilda et Anna aimaient étudier au Couvent Sainte-Catherine tant qu'elles y étaient externes; par contre, elles détestaient y séjourner comme pensionnaires et c'est ce qui se produisait à chaque hiver, de la prise des glaces jusqu'au dégel du printemps.

Le moment tant redouté par les couventines était arrivé. Leur père avait sorti la malle du grenier et Adèle avait préparé leur trousseau scolaire. Elle y avait même rajouté quelques gâteries pour les religieuses. Heureusement, quand Noël arrivait, les deux filles se retrouvaient avec leur famille.

— Bon, il y a tout ce qu'il vous faut. S'il vous manquait quelque chose, vous aurez juste à le demander à la Mère Supérieure.

— Ça va bien aller m'man. À Noël, on va vous rapporter de beaux bulletins, répondit Kilda.

Sur le bateau, Anna se serrait bien fort contre son père. A la vue de l'île qui s'éloignait, ses yeux se remplirent de larmes.

— C'est pas la fin du monde d'aller au couvent, Anna, tu devrais être habituée, c'est ta troisième année, dit Adèle.

— Kilda et moi, on aimerait mieux rester avec vous autres.

— J'sais que c'est pas facile, mais c'est pour ton bien, ajouta Alfred qui l'embrassa tendrement.

Le trajet du quai Victoria au couvent se fit dans le silence.

La mère Supérieure fit entrer les parents dans son bureau et congédia les petites.

— Vous pouvez aller porter vos effets au dortoir. Je pense que vous saurez vous débrouiller seules. Vous reviendrez ensuite embrasser vos parents.

— Oui, ma Mère, répondirent les deux enfants.

Les Dubois négocièrent rapidement les arrangements pour la pension et ajoutèrent un supplément pour l'entretien des "costumes".

Les parents et les enfants s'embrassèrent chaleureusement avant de se quitter. La mère supérieure, qui trouvait cet étalage de sentiments exagéré, montrait des signes d'impatience. Soeur Sainte-Anne-Marie prit congé en faisant une petite génuflexion très polie et très guindée.

Sur le chemin du retour, Alfred était triste.

— Adèle, comment tu la trouves, la mère supérieure?

— Pourquoi tu me demandes ça? Tu t'inquiètes encore pour tes filles. À chaque année, c'est la même histoire!

*D*e 1874 jusqu'au moment où le pont Jacques-Cartier fut construit, au début des années trente, le débarcadère de l'île Sainte-Hélène fut un problème récurrent. À chaque printemps, on devait reconstruire, réparer, rénover les garde-fous et l'automne venu, on devait démolir le tout à cause de la débâcle du printemps suivant qui entraînerait le quai.. De nombreuses requêtes furent adressées aux bureaux de la Commission des Parcs et Traverses suggérant la construction d'un quai en ciment. Ces plaintes, à propos des conditions précaires du quai, émanaient autant des visiteurs insatisfaits que de personnages importants[1] de l'époque. Mais l'île appartenait au gouvernement et la Cité, qui en avait le droit d'usage, ne voulait pas assumer seule les frais de construction d'un quai permanent.

Pour contourner le problème, on donnait la responsabilité de construire un quai temporaire aux soumissionnaires intéressés. À cette fin un appel d'offre était publié dans les journaux par la Commission des Parcs et Traverses. Il y avait deux volets à la demande. Le premier volet consistait à avoir le privilège exclusif de vendre des rafraîchissements, des cigares et tous breuvages qui n'étaient pas classés par les commissaires de permis dans la catégorie de boissons enivrantes. Le deuxième concernait «le droit exclusif de faire circuler des bateaux traversiers entre la Cité et l'île Sainte-Hélène[2]».

**Débarcadère de l'île Sainte-Hélène. Vers 1876. Gravure sur bois. W Scheuer.
Archives nationales, Ottawa.**

Le soumissionnaire potentiel devait se rendre à l'Hôtel de ville afin d'obtenir le cahier des charges. Ce document stipulait les obligations auxquelles le soumissionnaire devait s'engager pour la durée du contrat qui était à cette époque de cinq années. Plusieurs clauses se rapportaient aux traversiers. Deux clauses concernaient le quai de l'île et les abris sur les deux rives. «Le Concessionnaire devra construire et tenir en bon état un quai ou un débarcadère en ponton, au printemps de chaque année, sur l'Ile, a un endroit qui sera indiqué par la Commission des Parcs et Traverses; ce quai ou débarcadère devra être construit d'une manière sûre et solide; il sera sujet à l'approbation de la Commission des Parcs et Traverses, et devra être construit avant le 20 mai de chaque année, à moins que la construction ne soit retardée par la glace ou l'eau haute.»

«Le concessionnaire devra aussi ériger sur le quai, du côté de la ville, un hangar de pas moins de 80 pieds de longueur, sur 40 de largeur, avec des sièges pour 500 personnes, pour la commodité des gens se rendant à l'Ile ou en revenant, et il devra en outre construire un passage d'attente couvert convenablement sur le quai de l'Ile, lequel passage devra avoir 150 pieds de longueur sur 25 pieds de largeur, avec une entrée à barrière, conduisant au bateau, et devra être pourvu de sièges pour 500 personnes et être protégé contre la pluie et le soleil. Tous les travaux ci-dessus devront être exécutés aux frais et dépens du concessionnaire, sous la surveillance et avec l'approbation de la Commission des Parcs et Traverses.»

Les engagements étaient tenus, mais pas toujours comme ils auraient dû l'être. Souvent ce quai n'était qu'une bien piètre construction en bois. Le problème ne fut réglé que trois ans après l'achat de l'île par la Cité alors que l'on construisit enfin un quai solide et permanent.

Nous avons pris un extrait d'un document trouvé aux Archives de la ville de Montréal, qui nous donne un aperçu des démarches entreprises entre 1875 et 1931:

— 20 mai 1875: Projet de construction d'un quai temporaire pour servir de débarcadère aux voyageurs venant sur l'Ile Sainte-Hélène par bateaux-traversiers.

— 27 mai 1887: Construction projetée d'un quai par la Richelieu & Ontario Navigation Co.

— *31 août 1906: Nouvelles démarches auprès du gouvernement fédéral pour obtenir la construction d'un quai à l'Ile.*

— *2 juillet 1909: On constate que le quai existant est d'apparence disgracieuse et que son état est dangereux. On demande la construction d'un quai permanent. Les pourparlers, relatifs à la construction de ce quai, sont entrepris et portent à croire qu'il serait situé sur la propriété de la Commission du Port.*

— *9 novembre 1910: La Ville demande à la Commission du Port de construire un quai à l'Ile Sainte-Hélène au coût de $25,000. La Ville garantit un loyer annuel égal à 5% du coût de construction sur une période de 20 ans.*

— *5 août 1911: Utilisation du nouveau quai.*

— *12 juillet 1915: La Ville approuve le projet de contrat relatif à la location du quai.*

— *26 juillet 1915: La Ville ayant obtenu de la Commission du Port la permission de construire un hangar sur le quai de l'Ile Sainte-Hélène, un crédit de 200$ est voté pour peindre ledit hangar.*

— *19 mars 1919: On demande un accès plus facile sur les quais pour permettre au public d'atteindre le débarcadère conduisant aux traversiers.*

— *16 juin 1919: La Ville fait construire des clôtures temporaires au quai d'embarcation pour l'Ile Sainte-Hélène.*

— *27 mai 1919: Crédit de $6,000 voté pour la construction de deux abris dont l'un sur le quai de l'Ile Sainte-Hélène et l'autre situé sur le quai Victoria. Le contrat, au prix de $5,300, est accordé à M. A. Leduc.*

— *18 juin 1931: Crédit de 1 200$ pour droits d'accostage exigés par la Commission du Port. Crédit de 400$ voté par le Comité Exécutif pour certains travaux aux abris sur le quai.*

— *13 juillet 1931: La résolution relative aux droits d'accostage est annulée[3].*

La solution à tous ces problèmes fut sans aucun doute la construction du pont Jacques-Cartier qui ouvrit de nouveaux horizons tant aux Montréalais qu'aux Longueuillois.

***

La veille de Noël, Alfred, qui trépignait d'impatience à l'idée d'aller chercher Anna et Kilda au couvent, avait préparé la carriole très tôt dans la journée. Il avait attaché des grelots aux harnais du cheval et choisi les plus belles couvertures pour envelopper ses filles.

— Bon, Adèle, je suis prêt. As-tu besoin de quelque chose au marché Bonsecours?

— Non, j'ai tout ce qu'il faut pour les Fêtes.

Adèle s'approcha de lui et l'embrassa.

— Elles t'ont manqué tes filles, hein?

— Pas si pire que ça, répondit Alfred les yeux pétillants.

— Va les chercher, grand menteur, et prends pas plus de temps qu'il n'en faut. À moi aussi elles m'ont manqué.

Alfred descendit la pente doucement, pour ne pas perdre le contrôle de la carriole, et guida la jument vers le pont de glace.

Une fois rendu sur le fleuve, il mena sa bête au trot.

Kilda et Anna coururent à sa rencontre dès qu'elles virent l'attelage franchir le portail du couvent. Alfred n'avait pas encore mis pied à terre que ses filles s'étaient jetées dans ses bras.

Il les installa dans la carriole et les emmitoufla si bien qu'on ne leur voyait que le bout du nez.

Lorsqu'ils arrivèrent au fleuve, ils pouvaient apercevoir les lumières de la maison à travers les arbres dépouillés.

— Plus vite p'pa, on a hâte de voir m'man pis Lézy.

— Patience, les filles, on arrive bientôt. Ce soir on ira à la messe de minuit à l'église Saint-Antoine-de-Padoue à Longueuil.

Les deux soeurs se regardèrent en souriant, les vacances étaient vraiment commencées.

---

1. **M.J. Pommerleau, surintendant des Parcs et Traverses, suggère fortement qu'un nouveau quai soit érigé à l'île. Il fait même la suggestion que la construction soit faite en pin de Georgienne et qu'elle soit remplie de pierres, le tout au montant de 12,000$. La lettre est datée du 2 juillet 1909. Archives de Montréal, dossier de la Commission des Parcs et Traverses.**

2. **Nous n'avons pu obtenir de document de soumissions datant d'avant 1900, mais les cahiers de charges étant sensiblement les mêmes, nous croyons que les demandes devaient être, elles aussi, semblables. La Presse, le 1er mai 1900.**

3. **Archives de Montréal. Dossier des la Commission des Parcs et Traverses.**

CHAPITRE DIXIEME

Les temps modernes

LE VINGTIEME SIECLE ANNONÇAIT de grands changements. Les automobiles avaient fait leur apparition dans les rues de Montréal et l'électricité commençait à remplacer le gaz comme source d'énergie. Les manchettes de l'époque faisaient état de la ruée vers l'or au Yukon. La guerre des Boers, ces colons Hollandais qui luttaient contre la souveraineté de Londres, fit aussi la "une" des journaux. Mais Lézy, amoureuse, portait peu atttention à ces nouvelles et au vent de modernisme qui soufflait sur le monde: elle allait se marier.

En effet, Lézy et Ernest s'étaient fiancés le premier de l'an 1900. Il faut dire que tout n'avait pas été facile pour Ernest qui ignorait à quel point il avait embarrassé Lézy en l'embrassant le jour de l'épluchette. Ce n'est qu'à l'été suivant que Lézy lui fit part de son ressentiment. Il fut tellement surpris des propos virulents de Lézy qu'il ne put que bafouiller de plates excuses mais, tenace, il lui offrit des fleurs pour la convaincre de la sincérité de son affection. Heureusement pour lui, le temps avait agi en sa faveur et l'indignation de Lézy avait fait place à de meilleurs sentiments. Elle accepta le bouquet avec joie.

***

Lézy était assise dans la balançoire avec son fiancé.

— Ernest Gratton, tu penses pas qu'il faudrait choisir notre date de mariage? C'est important, pour les bans.

— Qu'est-ce que tu dirais de demain?

— Ernest Gratton, veux-tu être sérieux pour une fois. Il faut trouver une date, maman me l'a demandé.

— Elle a peur que je te laisse?

— Ben non, voyons. C'est juste parce qu'elle a des amis aux États. Elle veut les inviter.

— Après-midi on en discutera avec tes parents.

Sur ce, les fiancés virent Alfred et Anna qui sortaient leurs montures de l'écurie.

Lorsqu'elle passa devant eux, Anna dit à Lézy:

— Avertis maman que j'accompagne papa aux Triangle Edouard. On va surveiller les travaux.

— As-tu l'intention de prendre la relève de ton père? lui demande Ernest.

Anna n'entendit pas la boutade de son futur beau-frère car elle avait déjà lancé son cheval au galop.

— Pourquoi est-ce que tu n'accompagnes jamais ton père à cheval?

Parce que moi, j'ai pas le tour avec les chevaux. Une fois, je suis allée avec lui; le cheval s'est emballé et je suis tombée. Depuis ce temps-là, les chevaux me font peur. Mais Anna, c'est comme papa, elle aime les chevaux.

Anna posant fièrement sur sa monture.

Beaucoup de travaux étaient exécutés durant toute l'année, sur l'île Sainte-Hélène. Le seul rapport que nous ayons retrouvé est daté du 20 janvier 1926 et est signé par le gouverneur de l'île Sainte-Hélène, Alexandre Martin. Il donne une bonne idée des différents travaux qui devaient y être exécutés.

RAPPORT DES TRAVAUX D'ADMINISTRATIONS DU PARC DE L'ILE SAINTE-HELENE POUR L'ANNEE 1926

ITEM No.1

TRAVAUX DIVERS

Nous avons fait une traverse sur la glace, un mille de long par dix pieds de large, et nous l'avons entretenue. Nous avons rempli la glacière, avons scié et charroyé 550 blocs de glace. Nous avons entretenu un mille et demi de chemin sur l'Ile, pour nous donner accès aux ateliers et aux résidences. Nous avons enlevé la neige de cinq couvertures, deux fois. Nous avons fait quinze voyages à la ville pour matériaux de différentes sortes, tels que bois de service, peinture, huile, térébenthine, gazoline, etc... Nous avons fait deux voyages pour transporter l'engin du système d'eau au Chantier Municipal. Nous avons fait différentes réparations aux tables, bancs, voitures d'été, chaloupes, yacht, pics, pinces, pelles, râteaux, grattes, haches, etc... etc... afin que tous les outils soient en bon état pour les travaux du printemps.

ITEM No.2

TRAVAUX PREPARATOIRES À LA REOUVERTURE DU PARC.

Nous avons fait le grand nettoyage de l'Ile, qui consiste à ramasser toutes les branches tombées durant l'hiver et brûler les feuilles, balayer tous les chemins, remonter les deux abris des quais ainsi que les clôtures. Remonter le système d'eau. Remonter et poser 300 tables, 600 bancs et 275 paniers. Il faut remarquer que ces travaux se font deux fois par saison, à l'ouverture et à la fermeture du parc.

ITEM No.3

ENTRETIEN DES CHEMINS

Voir au nivelage et trimmage. Nous avons charroyé et étendu sur différents chemins 330 voyages d'ardoise, 100 voyages de sable et 50 voyages de pierre. Nous avons passé le rouleau à vapeur dix fois. Nous avons trimmé six milles de chemin.

ITEM No.4

TRAVAUX D'ENTRETIEN POUR LA PROPRIETE DE L'ÎLE.

Nous avons fait durant la saison: 26 balayages de grand chemin. Ces balayages de tous les chemins, environ six milles, sont faits par des hommes avec des balais de branches ordinaires. Nous avons arrosé les chemins vingt fois. Nous avons vidé les paniers à déchets 26 fois. Environ 250 voyages de déchets furent charroyés au dépotoir et brûlés durant la nuit. Nous avons fait trois nettoyages au râteau sous 300 tables, quatre fois.

ITEM No.5

PEINTURAGE ET BLANCHISSAGE

Nous avons peinturé, la résidence du menuisier à l'extérieur, la résidence du gardien à l'extérieur, l'écurie, cinq chalets de nécessité, deux petites stations de feu, deux abris de débarcadère, treize couvertures, six clôtures, quatre chaloupes, trois tombereaux, une charrette à foin, trois sleighs de travail, trois brouettes, un affût de canon, quinze persiennes, trois plafonds, quatre portes de screen[1], quinze screens de chassis, vingt-cinq enseignes, douze abreuvoirs, neuf boîtes à déchets, trois canons, quatre mitrailleuses, l'intérieur de la serre, un hangar à bois, la galerie de la station, la station de police à l'intérieur et à l'extérieur, douze tables, cent soixante-quinze bancs. Nous avons blanchi trois boutiques, deux solages, quatre clôtures, le petit fort, un hangar, une écurie. Ces blanchissages ont été faits deux fois durant la saison.

ITEM No.6

ÉMONDAGE ET ABATTAGE D'ARBRES

Nous avons débité cinquante-sept arbres brisés par la tempête du 11 septembre, nous en avons abattu trente-trois qui étaient dangereux et en avons émondé quatre-vingt.

ITEM No.7

SERVICE DE NOTRE SYSTEME DE CROIX-ROUGE.

Nous avons fait, avec le concours de deux gardes-malades du Département de l'Hygiène, Mlles Savard et Turgeon, trois cent dix-neuf pansements et conduit à l'hôpital quatre patients.

ITEM No.8

SERVICE DE SURVEILLANCE

Ce service, comme par le passé, a donné satisfaction; les hommes ont fait leur devoir et le public en général s'est montré très satisfait du service. Les indésirables retournés durant cette saison sont au nombre de soixante-sept. Les enfants égarés dont nous avons pris soin et remis aux parents sont au nombre de cent deux. Une seule arrestation a été faite durant la saison. Trente objets trouvés ont été remis à leurs propriétaires.

ITEM No.9

INSTITUTIONS RELIGIEUSES

Le nombre d'institutions religieuses qui ont fréquenté l'Ile durant la saison est de soixante-douze catholiques et cinquante-neuf protestantes, accompagnées d'environ 29,600 enfants pour les deux institutions. Huit pique-niques organisés par la Ville, Division des Terrains de Jeux, amenant à l'Ile environ 15,000 enfants.

ITEM No.10

SERVICE DU TRAVERSIER

Ce service a été executé avec satisfaction, à l'exception de quelques incidents imprévus et inévitables. Tout s'est passé dans le bon ordre. Le nombre approximatif total de visiteurs à l'Ile est de 190,000.

En terminant ce rapport, il me fait plaisir de dire qu'aucun accident sérieux n'est survenu durant la saison, et je profite de l'occasion pour remercier le public en général de l'appui qu'il m'a donné en observant les règlements et de l'esprit de bonne entente qu'il a montré dans toutes les circonstances[2]

***

Anna, de sa chambre, voyait bien le fleuve, les bateaux et Montréal. Elle passait des heures à contempler ce paysage et n'entendait même pas quand on l'appelait.

— Anna, ça fait une demi-heure que je t'appelle.

Elle sursauta en voyant sa mère entrer dans la chambre.

— M'man, qu'est-ce que vous faites en haut?, vous venez jamais ici.

— J'pense que j'aurais dû monter avant, dit Adèle en observant le désordre de la chambre.

Adèle entreprit de faire le lit mais se ravisa:

— Tu vas commencer par mettre de l'ordre ici, pis après tu viendras dans la cuisine, faut que j'arrange ta tunique pour l'école.

Anna resta silencieuse.

— Vas-tu me dire qu'est-ce qu'il y a, depuis quelque temps. Tu dis rien, c'est pas dans ton habitude.

— Kilda revient pas au couvent avec moi cette année et je veux pas y aller toute seule.

— Mais tu seras pas seule, il y a plein d'autres filles que tu connais.

— C'est pas pareil, Kilda c'est ma soeur. A part ça, les soeurs me chicanent tout le temps. Une fois, je suis allée rejoindre Kilda dans son lit parce que je m'ennuyais de vous autres et la surveillante nous a surprises, elle nous a séparées puis elle nous a punies.

— Écoute Anna, c'est pas facile mais tu n'as pas le choix si tu veux finir tes études.

Anna retenait ses larmes. Adèle l'attira vers elle pour la consoler et lui promit qu'on la visiterait plus souvent.

— Mais, m'man, comment faire pour que les soeurs me chicanent pas.

— Les soeurs aiment les premières de classes, elles les montrent toujours en exemple. Ça devrait pas être difficile pour toi. Je suis sûre que tu es capable. Maintenant, file passer ta tunique que je puisse enfin faire le bas.

Anna suivit le conseil de sa mère et devint une élève exemplaire même si elle s'ennuyait beaucoup de sa famille. Les visites occasionnelles de Kilda et de Lézy étaient ses seules consolations. Anna se rappelait avec plaisir ces rencontres qui brisaient la monotonie de sa vie de couventine.

— Tu devineras jamais les niaiseries que ta soeur Kilda peut inventer pour m'embarrasser, dit Lézy.

— Pauvre toi, qu'est-ce-qu'elle t'a fait encore?

— D'abord, elle a commencé par s'écraser dans le fond du traîneau puis, elle s'est mis la pile de couvertures sur la tête. C'est à peine si on lui voyait les yeux. En pleine rue Sainte-Catherine!.Ensuite, au magasin où je suis allée acheter mon trousseau, elle a joué à la vendeuse! J'ai jamais été aussi gênée de toute ma vie!

— T'es toujours gênée de toute façon, lui dit Kilda.

— Quand je pense que c'est à la condition de l'amener que je peux magasiner, continua Lézy, courroucée par l'attitude puérile de sa soeur.

— Voyons donc Lézy, défâche-toi et raconte-moi plutôt ce que tu as trouvé de beau pour ton trousseau. As-tu choisi ta robe?. J'ai hâte de la voir.

— Non, pas encore, mais j'ai commencé ma liste d'invités. On a invité les Lebreton des Etats. On sera une centaine.

— Ca va faire du monde ça!

— On se marie à l'église Saint-Jacques. Après la cérémonie tout le monde se rendra à l'île pour la réception.

L'horloge du parloir sonna trois heures ce qui mit fin à la visite.

***

Un soir, Alfred finissait sa tournée quand il aperçut un homme étendu par terre. Croyant avoir affaire à un vagabond, il s'en approcha avec prudence. Lorsqu'il fut à sa hauteur, il vit qu'il s'agissait d'un jeune homme qui s'était endormi.

— Aie le jeune, réveille-toi.

L'autre sursauta.

— Hein? Quoi? Qu'est-ce que je fais ici?

— Ce serait à moi à te demander ça!

— J'attends le bateau, dit le jeune homme encore endormi.

— J'ai comme l'impression que tu l'as bel et bien manqué. Tu peux pas rester ici.

— J'ai vraiment manqué le bateau?

Alfred fit signe que oui de la tête.

— Viens avec moi, tu vas dormir dans la remise.

— J'comprend pas comment ça se fait. C'est pas dans mes habitudes, Monsieur.

— C'est ce qui arrive quand on prend un verre de trop.

Ils arrivèrent à la maison et Alfred lui désigna la remise.

— Tu trouveras des couvertures là-dedans. Y a aussi des bottes de foin, tu pourras te faire une couche avec. Y a de l'eau dans le puits si t'as soif. Compte pas sur moi pour la nourriture, ça te fera réfléchir. Le traversier part avant le coucher du soleil. Oublie-le pas à l'avenir. Bonne nuit.

Alfred rentra chez lui. Il enlevait sa veste de policier quand Adèle lui demanda:

— T'en as mis du temps à soir, Alfred. T'es-tu arrêté chez le gouverneur?

— Non, j'ai trouvé un jeune gars de quinze ou seize ans. Il dormait dans un bosquet. Je l'ai installé dans la remise.

— Veux-tu que j'y apporte à manger.

— Pantoute, je lui ai dit que s'il voulait de l'eau, il pouvait en prendre dans le puits. Ça va lui donner une leçon.

Adèle désapprouvait son mari mais ne dit pas un mot.

— Dis aussi aux filles qu'il n'est pas question d'approcher la remise jusqu'à ce qu'il soit parti. Tu m'as dit que t'avais besoin de bois, je vais aller t'en couper un peu.

Adèle ne perdit pas un instant et prépara secrètement un repas pour le jeune homme. Elle appela Kilda et lui dit:

— Ton père a ramené un jeune dans la remise. Il a manqué son bateau. Va lui porter à manger. Sois discrète.

Kilda frappa doucement à la porte de la remise. Quelle ne fut pas sa surprise de reconnaître Raoul Maurice, le fils de Joachim, le gardien du fort.

Joachim Maurice et Lionel, fils de Raoul et de Kilda. Vers 1923.

— Pourquoi t'as pas dit à mon père qui t'étais?

— J'ai pris un verre, répondit Raoul. J'ai ben trop peur de me faire engueuler par mon vieux. Garde ça pour toi.

— Très bien, ma mère fait dire de cacher l'assiette quand t'auras fini.

Kilda rentra et fit signe à sa mère que tout était correct. Alfred qui revenait au même moment, ne s'était rendu compte de rien.

---

1 Moustiquaire, en anglais.

2 Archives de Montréal. Dossier de la Commission des Parcs et Traverses.

Chapitre Onzième

Les noces de Lézy

LE 28 AOUT 1901, UN TOHU-BOHU indescriptible, régnait dans la maison du capitaine de police. On s'affairait aux préparatifs des noces de Lézy.

Lorsque les femmes Dubois et les Lebreton qui étaient arrivés depuis quelques jours furent au débarcadère, la nervosité de Lézy atteignit son paroxysme.

— Qu'est-ce qui fait que le bateau arrive pas, je veux pas être en retard le matin de mes noces, pesta Lézy.

— C'est parce que t'es nerveuse que tu trouves ça long Lézy, lui dit sa mère.

Adèle tentait bien de calmer Lézy mais, intérieurement, elle aussi était soucieuse. Elle trouvait qu'effectivement, Alfred mettait bien du temps à revenir de Montréal où il était allé s'assurer que les cochers, qui devaient les mener à l'église, seraient au rendez-vous.

Lorsque le traversier fut en vue, elles s'aperçurent qu'il avait été décoré de fanions blancs et roses. Le bateau était magnifique.

— Ah! le ratoureux, pensa Adèle.

Lézy, touchée par le geste de son père et du capitaine Gaulet, pleurait de bonheur. De la passerelle, Alfred salua sa fille en lui disant:

— Si mademoiselle veut bien se donner la peine...

— Merci p'pa, c'est magnifique.

— Si tu savais l'organisation que ça m'a pris pour cacher çà à ta mère!

Ils se mirent tous à rire.

— Il faut partir, les cochers nous attendent au quai pour nous amener à l'église.

Alfred et Lézy étaient dans la voiture de tête. Il lui prit la main d'un geste paternel et, tendrement, lui dit:

— Ma Princesse, j'te souhaite toutes les bonnes choses de la terre. Ernest va te faire un bon mari.

— Merci p'pa. J'pense pas qu'on se trompe. On va tout faire pour être heureux.

Ils arrivaient à l'église Saint-Jacques.

— Ma fille, c'est aujourd'hui que tu vas promettre ça.

Lézy prit le bras de son père et ensemble, ils marchèrent au son de la marche nuptiale jusqu'au pied de l'autel. Ernest était tout ému de voir sa fiancée. Jamais Lézy n'avait voulu lui faire la moindre révélation sur sa robe; on lui avait dit que cela portait malheur. Ce matin-là, il ne regrettait pas du tout la supertision de sa fiancée. Lézy avait choisi du taffetas blanc et de la mousseline pour confectionner sa robe. Le corsage, ajusté et paré de perles et de broderies, galbait bien son corps. La jupe, qui s'évasait, comme une corolle renversée, recouvrait un jupon cousu dans la mousseline, que personne d'autre qu'Ernest ne verrait. Le voile, tout simple, était maintenu par un petit bouquet de fleurs blanches et lui couvrait le visage. Elle avait tenu à coudre cette robe elle-même en gage d'amour pour Ernest.

On fêta ferme le mariage de la fille aînée du capitaine de police de l'île Sainte-Hélène. La nourriture fut abondante, les invités avenants, les farces salées, et la température...superbe.

Le soir même les nouveaux époux entrèrent dans leur nouvelle demeure au 104, rue Beaudoin, à Montréal.

Le lendemain, Adèle et Alfred, seuls dans la cuisine, se remémoraient avec plaisir le mariage de leur fille.

— C'était une belle noce, hein, Alfred? Ça m'a fait drôle de revoir les Lebreton. J'aurais jamais pensé les voir si vieillis.

Alfred, baissant le ton:

— Pas trop fort, Adèle, ils pourraient nous entendre. Oublie pas que ça fait plus de vingt ans. On n'est plus des jeunesses, nous autres non plus.

Alfred prit Adèle dans ses bras.

— J'ai jamais regretté de t'avoir choisie.

Alfred voulut l'embrasser, mais Adèle se dégagea pudiquement de l'étreinte de son mari quand elle aperçut Kilda et Anna qui les espionnaient de l'escalier.

— Approchez. Votre père va vous préparer à déjeuner dit Adèle, profitant de la bonne humeur de son mari.

Alfred regarda Adèle avec surprise mais, complaisant, enfila un tablier.

Ils furent bientôt rejoints par les Lebreton.

Alfred, malicieux, tendit un tablier à Hector et les deux hommes préparèrent un copieux repas.

Lézy et Ernest choisirent de faire leur voyage de noces à Québec. Ils séjournèrent à la gare du Palais et firent même une excursion aux chutes Montmorency.

Cette lune de miel fut merveilleuse mais de courte durée. En effet, le bel Ernest qui était ambitieux mais aussi doté d'un tempéramment téméraire avait décidé de se porter volontaire pour la guerre des Boers. Il annonça la nouvelle à Lézy quelques jours après leur retour de voyage.

Lézy était bouleversée et affolée à l'idée que son mari puisse partir pour la guerre. Elle se retrouverait seule. Peut-être même qu'il ne reviendrait jamais. Elle réagit vivement au projet d'Ernest. Un mélange de colère et de détresse l'envahissait.

— Savais-tu que tu t'engagerais, avant de me marier, Ernest?

— J'y avais pensé, mais j'avais rien décidé, encore.

— Tu cours après ta mort dans une guerre qui nous regarde même pas, dit-elle, désespérée.

— J'le fais pour nous deux, Lézy. Comprends que quand l'île ferme, je n'ai plus d'ouvrage. Seul, je vivais bien de ce travail-là, mais maintenant, j'ai des obligations. Ceux qui s'engagent reçoivent une bonne solde.

Lézy confia son désarroi à ses parents qui lui proposèrent spontanément de revenir vivre avec eux jusqu'au retour d'Ernest.

Seul Alfred pouvait comprendre l'ambition du jeune homme, mais il désapprouvait néammoins les moyens utilisés pour la réaliser.

La veille du départ, Ernest amena Lézy à l'endroit où, quelques années plus tôt, ils avaient échangé leur premier baiser.

— Je t'aime Élizabeth Dubois.

— Moi aussi, j't'aime Ernest Gratton, t'es mieux de me revenir de cette maudite guerre.

— Fais-toi pas de mauvais sang pour ça. J'vais revenir.

Il détacha une petite chaîne qu'il portait et la mit au cou de sa femme.

Lézy se laissa aller à sa peine. Ernest la berça doucement.

Ernest partit tôt le lendemain matin. Il était le seul passager à bord du traversier. Il s'appuya sur le bastingage. Il regrettait presque sa décision. Deux sillons humides marquaient son visage.

Élisabeth Dubois et Ernest Gratton avec Jeanne (8 ans) et Gabrielle (5 ans).

*L*ES GRANDES PUISSANCES COLONIALES *ont longtemps ignoré l'Afrique du Sud. En 1652, la Compagnie hollandaise des Indes orientales y établit un premier poste de ravitaillement. Quelques années plus tard, des colons néerlandais, scandinaves, allemands et huguenots français vinrent également s'y établir. On appellera* BOERS, *les descendants de ces pionniers.*

L'Angleterre occupa deux fois Le Cap, soit en 1795 et en 1806. Elle prit définitivement possession de la colonie en 1814 par le Traité de Paris. L'immigration anglaise et l'abolition de l'esclavage firent fuir les Boers vers le nord-est, ce qui constitua le Transvaal dont la capitale est Pretoria. L'Angleterre essaya de prendre possession de ce nouvel état en 1877, mais ne put gagner qu'une souveraineté nominale.

Le Transvaal regorgeait d'or et de diamants ce qui incita une ruée d'étrangers (Mitlanders) à venir y faire fortune. Les immigrants anglais formaient presque la moitié de la population. Ces derniers ne pouvaient obtenir la citoyenneté qu'après avoir résidé quatorze ans dans le pays, et jamais avant d'avoir atteint quarante ans.

Sir Wilfrid Laurier, alors premier ministre du Canada, dénonça ce geste comme un manquement à la démocratie. Il fit voter une résolution de sympathie à l'Angleterre tout en se gardant des réserves. Il stipula que le Canada participerait à la défense des Britanniques advenant le cas d'une menace réelle, mais précisa qu'il ne saurait être question de participer à un conflit amorçé par l'Angleterre, et dont les intérêts du Canada ne coïncideraient pas avec les leurs.

Il résista le plus possible à l'implication du pays dans ce conflit, malgré les pressions de la Milice canadienne sous la direction d'un officier anglais, le général Hutton, et des orangistes ontariens qui condamnaient sa tiédeur.

Le sous-secrétaire d'état à la Guerre, Georges Wyndham écrivit au premier ministre que la Grande-Bretagne accepterait un régiment canadien dans ses troupes. Lord Minto gouverneur général, l'encouragea à participer au conflit.

Laurier les avisa que selon l'Acte de la Milice, le Canada n'était pas tenu de combattre à l'extérieur du pays. Il convoqua son Cabinet et ce qu'il craignait se produisit: les ministres anglophones préconisaient la participation du Canada advenant une guerre au Transvaal, alors que les ministres francophones s'y refusaient catégoriquement.

Laurier, fin politicien, proposa alors la levée d'une troupe de volontaires dont les dépenses pour l'équipement et le transport seraient assumées par le gouvernement. "... une telle dépense, dans les circonstances, ne saurait être considérée comme un déni des principes bien connus propres aux gouvernements constitutionnels et aux pratiques coloniales, ni être considérée comme devant créer un précédent pour l'avenir."

Le 30 octobre 1899, 1,500 volontaires quittèrent le pays. On réalisa que c'était bien peu pour affronter des Boers bien armés. En janvier 1900, le Canada expédiait un second contingent. Les forces canadiennes étaient devenues des unités distinctes et on réclamait de plus en plus de volontaires. La paix fut signée le 31 mai 1902 et les Boers devinrent sujets britanniques.[1]

1. La Société des éditions du Mémorial (Québec) 1981. <u>Le Mémorial du Québec</u>.

CHAPITRE DOUZIEME

Les amours de Kilda

KILDA, AVAIT PRIS LA RELEVE DE LÉZY pour la distribution du courrier. C'est ainsi qu'un jour de septembre, alors qu'elle s'acquittait de sa tâche quotidienne, elle rencontra le jeune homme qu'Alfred avait hébergé dans la remise un soir de juin.

Raoul avait laissé passer un peu de temps avant de revenir à l'île, mais il était bien décidé à revoir Kilda.

— Bonjour, je voulais te remercier pour ta gentillesse, quand j'ai manqué mon traversier.

— Tu viens souvent ? demanda Kilda.

— Je suis venu deux ou trois fois voir mes parents; je suis allé aussi dans les manèges, de l'autre côté de l'île.

— T'es ben chanceux d'y aller, moi j'ai pas le droit d'y mettre les pieds.

— Qu'est-ce tu fais avec ces lettres?

— C'est le courrier du gouverneur.

— Est-ce que...

— M'accompagner? Pourquoi pas, ça serait plus plaisant, répondit Kilda. Son coeur battait très fort; c'était le coup de foudre!

Raoul promit à Kilda de revenir la voir. Mais, quand il revint, il se méprit sur la personne et ce n'est pas Kilda qu'il rencontra mais Lézy qui portait le manteau de sa soeur.

— Qu'est-ce que vous faites-là? L'île est fermée, lui dit Lézy avec autorité.

— Excusez-moi, Madame, je vous ai pris pour Kilda.

— Comment ça se fait que vous connaissiez ma soeur.

Lézy était curieuse de savoir qui était ce jeune homme.

Raoul se sentit pris au piège. Il ne put que bredouiller:

— Dites-lui que je suis venu la voir et que je reviendrai.

— C'est ça, je lui dirai que je vous ai vu.

Raoul partit sans demander son reste. Lézy réalisa qu'elle pourrait facilement faire marcher sa soeur et entendait bien en profiter. Elle attendit donc d'être seule avec elle.

— C'est drôle, les rencontres qu'on peut faire en se promenant. Même ici, sur une île. Y en a qui vont avoir des problèmes à s'expliquer s'ils s'font prendre.

Kilda, dont les joues se colorèrent, dévisagea sa soeur qui continuait, sarcastique:

— Un jeune homme te fait dire qu'il va revenir au printemps.

— Tu l'as rencontré?

— Oui.

— Vas-tu le dire au père?

— Je le sais pas, peut-être que oui, peut-être que non... t'en fais pas, je dirai rien, reprit Lézy sur un ton qui se voulait rassurant.

Noël passa. Les festivités furent tranquilles cette année-là. Lézy n'avait reçu qu'une seule lettre depuis le départ d'Ernest et son absence donna un ton de retenue à l'événement. La lettre était peu loquace: il allait bien, il était rendu à destination, il ne fallait pas s'inquiéter pour lui, il écrirait de nouveau dès que possible. C'était très peu. Lézy tentait de suivre dans les journaux l'évolution de cette guerre qu'elle maudissait.

Un soir de janvier, les Dubois entendirent une voix d'homme chanter au loin.

— Je sors voir ce que c'est, dit Alfred.

— Fait attention à toi, Alfred, lui recommanda Adèle craintive.

Dehors, il n'entendit plus que le bruit de ses pas sur la neige crissante, mais il aperçut une silhouette d'homme.

Il l'interpela.

— Qui êtes-vous? L'île est fermée pour le public durant l'hiver.

— Ben, j'pensais qu'un homme marié avait le droit de venir voir sa femme quand il le voulait, surtout quand il revient de la guerre.

— Qu'est-ce que tu fais là, toi? T'es pas aux Boers? dit Alfred qui venait de reconnaître Ernest.

— La guerre est finie pour moi, répondit Ernest.

— Pourquoi t'as pas écrit ou envoyé un télégramme. On surprend pas les gens comme ça!

— Je pouvais pas, l'beau-père. En arrivant là-bas, ils m'ont assigné à la cavalerie. Ça faisait à peine deux semaines que nous étions arrivés à Johannesburg et croyez-le ou non, pendant l'entraînement, je suis bêtement tombé en bas de mon cheval et j'me suis démanché l'épaule. Ils m'ont donné ma «discharge», car ils ont dit que j'pourrais pas tirer du fusil. Le contrecoup risquerait de me défaire l'épaule de nouveau. Alors je suis içi. Dites-moi vite comment va ma Lézy?

— Aussi bien que possible, mais tu peux être sûr qu'elle va tomber à la renverse en te voyant. Tiens, qu'est-ce que tu dirais si...

Alfred et Ernest, complices, se rendirent à la maison.

Ernest Gratton fut policier de la ville de Montréal.
Photo prise aux écuries d'Youville

Alfred fit signe à Adèle de le suivre en silence jusqu'à l'arrière de la maison. En apercevant Ernest, elle étouffa un cri de joie.

— Que je suis contente de te voir, dit-elle, mais que fais-tu ici?

— Je vous expliquerai la belle-mère, mais avant, je veux aller embrasser Lézy.

Adèle ouvrit doucement la porte de la cuisine et fit passer Ernest en premier.

Lorsqu'il entra dans la cuisine, Lézy leva machinalement les yeux et reconnaissant son mari, se jeta dans ses bras. Incrédule, elle lui toucha le visage pour être certaine de ne pas rêver.

— Ernest, t'es revenu! C'était toi qui chantais tantôt. J'aurais dû me douter que tu arriverais pas comme tout l'monde.

Ils s'embrassèrent, indifférents à la présence des autres.

***

En juin, Lézy vint visiter sa mère. Adèle fut surprise de voir sa fille arriver seule.

— Bonjour Lézy, tout va bien?

— Oui. Je veux seulement vous demander quelque chose. Dites maman, quand vous êtes partis des États, papa et vous, avez-vous rapporté tous les meubles?

— J'pense ben que oui, on n'avait pas grand'chose, par exemple; pourquoi tu demandes ça?

— Avez-vous encore le petit lit que j'avais quand j'étais bébé.

— Sûr qu'on l'a encore! et je gage que tu veux l'avoir! s'exclama Adèle ravie à l'idée d'être grand-mère. Ha! Lézy, c'est ton père qui va être content. C'est pour quand?

— Pour novembre.

— Ben, ma fille, on va l'attendre cet enfant là, avec bonheur. Pis ton père va se faire un plaisir de l'arranger.

— Quand viendrez-vous en ville? Vous devriez voir ça à la maison, c'est beau. Ernest est adroit pour les réparations.

— Quand ton père aura fini d'arranger le petit ber, ça fera-tu ton affaire?

— Ça serait parfait.

Alfred ne tarda pas à décaper, sabler et cirer le berceau. La bonne odeur que dégageait le bois, au frottement du papier d'émeri lui rappela l'époque de Pittsfield alors qu'il avait fabriqué ce berceau pour Lézy.

Aussitôt que le lit fut restauré, la famille Dubois se rendit chez les futurs parents.

Lézy fit bouger le lit sur ses arceaux.

— Papa, il est comme neuf!

En plus du ber, Adèle apportait un trousseau qu'elle avait confectionné avec ses deux autres filles. Tout y était: les draps, une couverture en flanelle et une autre en laine crochetée, quelques langes. Il y avait même deux petites jaquettes, une jaune et une blanche avec les chaussons assortis.

— Je ne sais quoi dire, s'exclama Lézy, je suis comblée!

— Fais-nous juste un bel enfant en bonne santé, ma fille, lui dit Adèle.

Ce soir-là, Lézy et Ernest installèrent le p'tit lit près du leur.

***

Kilda n'avait pas revu Raoul depuis l'automne, même s'il avait rempli tous ses rêves. Elle le rencontra de nouveau alors qu'elle revenait de livrer le courrier.

— Raoul! Comme je suis contente.

— Moi aussi. Ça faisait longtemps que je voulais te voir.

Raoul escorta Kilda tout en lui racontant combien elle lui avait manqué. Il lui fit part aussi de sa mésaventure avec Lézy.

Pris par leur joie de se retrouver, les tourtereaux n'aperçurent pas Alfred qui, à deux pas d'eux, avait tout observé.

Lorsque Kilda revint à la maison, son père, contrarié, l'y attendait.

— Je t'ai vu parler avec un jeune homme tout à l'heure.

Kilda baissa la tête.

— C'est qui ce jeune homme?

— Vous le connaissez. C'est Raoul Maurice.

— Le fils de Joachim? Où l'as-tu rencontré?

Jeanne Gratton, fille d'Élisabeth.

— Vous vous souvenez quand vous l'avez arrêté, je suis allée lui porter à manger.

— Malgré que je l'avais défendu!

Adèle, qui venait d'entrer dans la pièce, prit la défense de sa fille:

— Alfred, l'idée de le nourrir, c'était la mienne. Il n'avait rien fait de mal. Il avait seulement manqué son bateau. Voyons Alfred, c'est rien de grave.

— Rien de grave! Savais-tu que le gars était revenu pour la voir.

Il se retourna vers sa fille.

— Kilda, je veux rencontrer ton jeune la prochaine fois qu'il mettra les pieds içi, t'as compris? et à l'avenir, je ne veux plus de cachette.

— Oui, p'pa, dit Kilda en quittant la pièce prestement.

— Voyons donc Alfred, reprit Adèle, Kilda a dix-sept ans. Quand bien même qu'elle verrait le jeune Maurice. C'est un bon garçon, un peu «jeunesse», mais c'est tout. Pis tu connais Joachim, il a toujours eu bonne prise sur ses enfants, alors laisse les jeunes se courtiser.

Adèle avait trouvé les bonnes paroles pour calmer son mari trop «paternel».

Kilda, fille de parole, présenta Raoul à ses parents dès qu'il revint dans l'île. A partir de ce jour, les visites de Raoul se firent plus fréquentes. Ainsi donc, les jeunes apprirent à se connaître et à s'apprécier. Les sentiments qu'ils éprouvaient l'un à l'égard de l'autre se renforçaient à chaque rencontre.

Un beau jour du mois d'août, Raoul, n'écoutant que son courage, fit la grande demande:

— Ainsi donc, tu veux ma fille en mariage?

— Oui, monsieur Dubois.

— Raoul est polisseur de cuir depuis deux ans dans la cordonnerie de la paroisse de Sainte-Cunégonde. Il saura bien me faire vivre, dit Kilda avec conviction.

— Oui, mais à dix-neuf ans, c'est encore trop jeune pour avoir des responsabilités d'homme marié. Dans deux ans, si vous sortez encore ensemble, j'vous donnerai ma bénédiction avec plaisir.

— Mais papa, c'est bien trop loin, deux ans!

Raoul comprit au ton d'Alfred qu'il ne reviendrait pas là-dessus et essaya de raisonner Kilda.

— Ton père a sans doute raison, Kilda. On ferait peut-être mieux d'attendre...

Lorsqu'Alfred avait enfermé Raoul dans la remise, il était loin de se douter qu'un jour son "prisonnier" épouserait une de ses filles.

CHAPITRE TREIZIEME

Montréal Swimming Club

LORSQU'ALFRED PARTIT CHERCHER ANNA pour le congé de Noël 1902, il la trouva amaigrie, les yeux cernés et le teint pâle.

— Qu'est-ce que qui se passe? lui demanda-t-il.

— Je ne sais pas, je suis comme ça depuis quelques semaines, peut-être juste fatiguée. J'ai travaillé fort pour mes examens.

— Es-tu trop fatiguée pour aller voir Jeanne, le bébé de Lézy?

— Si ça ne vous dérange pas, j'aimerais mieux rentrer directement à la maison.

Alfred n'aimait pas voir sa "Noire cochon" dans un tel état de morosité.

Arrivés à la maison, il s'empressa de faire part à Adèle de son inquiétude au sujet de la santé d'Anna.

— Moi aussi, je trouve qu'elle a beaucoup maigri. Elle fait sûrement de l'anémie. On fera venir le docteur.

— Votre fille est épuisée, dit le docteur Leblanc. Ce qu'il lui faut, c'est du repos et de la bonne nourriture.

— Pas de problème pour ça, lui répondit Adèle. Combien de temps ça va prendre pour qu'elle soit sur pied?

— Ça peut prendre longtemps. Si votre fille ne montre pas de signes d'amélioration d'ici une semaine, vous me le ferez savoir.

— On va suivre vos conseils, docteur.

Alfred raccompagna le médecin à Longueuil.

La convalescence d'Anna, qui dura tout l'hiver 1903, lui permit de retrouver la connivence qu'elle avait vécue avec Kilda au couvent.

Kilda, qui n'était pas très encline aux travaux de l'aiguille, profita de ces retrouvailles pour se faire aider par Anna.

Marie-Anna Dubois et une amie derrière un travail sur étamine.
Ile Sainte-Hélène, 1907

Lorsque mai arriva, Kilda avait englouti toutes ses économies dans son trousseau. Sa mère lui suggéra d'aller voir les Roussin qui s'occupaient du Montréal Swimming Club. Elle savait que la plupart des nageurs louaient des maillots de bains qu'il fallait laver à chaque jour. Quelquefois, il fallait les réparer car ils étaient confectionnés dans un tissu laineux qui favorisait les accrocs.

Madame Roussin engagea immédiatement Kilda et offrit de prendre également Anna si elle voulait. Les deux soeurs commencèrent le lundi suivant.

*L*e *Montréal Swimming Club existait depuis 1875. C'était le plus ancien club de natation en Amérique. Le cahier du soixante-quinzième anniversaire publié en 1950, nous donne un aperçu historique des débuts de ce club.*

«*Par une chaude journée du mois d'août de 1876, le Lieutenant-Colonel Labranche, et Monsieur A.G. Lord, un champion dans plusieurs sports, décidèrent d'aller nager au vieux bain flottant Killgal, amarré au pied de la rue McGill. C'était le seul endroit de la ville où il était permis légalement à un homme ou à un garçon de nager. Le prix d'admission était de 13 sous et il s'y trouvait à la porte 2 garçons tout tristes qui n'avaient que 25 sous à eux deux. Le Lt-Col. Labranche dit alors: "Ne peut-on rien faire pour permettre à ces enfants de nager à un prix plus modique, ne pourrions-nous pas organiser un Club?" M. Lord répondit qu'il pensait que la chose était possible. Quelques amis se réunirent et fondèrent le Montréal Swimming Club. Les débuts furent très modestes et seulement quelques bons nageurs en furent les premiers membres*[1].»

Le Club était fondé. Mais tout n'allait pas sans peine.

« *Les autorités municipales du temps n'étaient aucunement sympathiques au projet et le Conseil de ville ne fit rien pour aider le Club. Le seul endroit disponible était le vieux quai et l'Ile à St-Lambert et la seule faveur que les fondateurs obtinrent fut la réduction du tarif ordinaire du passage de la Cie St-Lambert Steam Ferry. Le Club commença donc à fonctionner à Saint-Lambert. En dépit de l'indifférence du Conseil de Ville, monsieur Wm. Hingston (plus tard Sir William Hingston), maire de Montréal, devint le premier président du Club. L'année suivante, alors que le traversier Montréal-île Sainte-Hélène arrêtait au quai militaire du côté Est de l'île, le Club obtint la permission de s'y établir et y est demeuré depuis*[2].»

Lorsque le M.S.C. obtint la permission de s'installer à l'île Sainte-Hélène, le gouvernement fit construire un nouveau quai (la brochure ne spécifie pas l'endroit de la construction) et la Ville céda le vieux quai au Montréal Swimming Club.

« *Le Gouvernement construisit le quai en 1878 et la ville céda le vieux quai militaire au gouvernement. C'était là une merveilleuse occasion pour le Montréal Swimming Club, et le Colonel Labranche s'en saisit. On obtint de Sir Adolphe Caron, ministre de la milice, l'octroi d'une partie de la réserve militaire avec la permission d'y construire les édifices nécessaires au Club et d'en exclure tous ceux qui ne seraient pas membres du Montréal Swimming Club[3].»*

Le Club offrait des activités intéressantes et il présentait constamment de nouveaux projets afin de préserver son image d'avant-garde. Lors du vingt-cinquième anniversaire du Club, des courses à handicap furent organisées les samedis après-midi. Elles connurent un succès ininterrompu tant que le Club fonctionna.

La brochure de 1950 souligne les améliorations effectuées depuis l'inauguration, entre autres: la démolition du vieux quai en bois ainsi que la construction d'un quai en ciment capable de résister aux amoncellements de neige et assez solide pour supporter la tour des plongeurs, les tremplins et les foules qui s'y massaient à chaque fin de semaine; les réparations faites au hangar et l'installation de toilettes et de deux douches pour ajouter au plaisir des utilisateurs. On y décrit le chalet pourvu d'armoires et de paniers métalliques mis à la disposition de la clientèle, soulignons-le, exclusivement masculine.

La majorité des membres juniors étaient des étudiants. Quant aux adultes, ils provenaient de différents milieux: avocats, comptables, industriels, chefs de publicité, bref, tous ceux qui avaient l'opportunité de se libérer pendant un trop chaud après-midi pour se revigorer dans les eaux fraîches du Saint-Laurent. Pour ceux qui devaient attendre jusqu'à cinq heures: pas de problème, le Club était ouvert jusqu'à sept heures.

Tout garçon âgé de moins de dix-sept ans pouvait devenir membre juvénile, moyennant la somme de 1.00$. La saison débutait au milieu de mai et se terminait tard en septembre. Le Club était ouvert tous les jours de 8 heures de la matinée à 7 heures dans la soirée.

Parmi les membres du Club qui se sont distingués, monsieur Chris. H. Goulden retient particulièrement l'attention. Il a été membre du Club à partir de 1890 et en fut le président pendant deux ans (1902 et 1903). Au soixante-quinzième anniversaire du Club, il en était encore membre actif. On le nomma Président honoraire à vie. Il fut l'organisateur et le directeur de la plupart des équipes de polo aquatique du M.S.C. et il s'occupa du Canadian Amateur Swimming Association, durant sept ans. M. Goulden exerça la présidence du Canadian Aquatic Polo Association durant cinq ans et fut nommé gouverneur à vie de la Royal Life Saving Society. Il va sans dire que monsieur Goulden fut un pilier pour le Club. Il y eut même un trophée qui portait son nom (remis annuellement aux champions de la C.A.P.A.) et qui fut gagné plus souvent par le M. S. C. que par n'importe quel autre club.

Voici les noms des fondateurs et présidents du Club:
— *1876-78 Sir D. W. Hingston.*
— *1879-80 George Desbarats*
— *1881-82 A. G. Lord*
— *1883-84 Henry Swain*
— *1884-87 J.T. Finnie, M.D.*
— *1888-89 H. W. Garth*
— *1890-91 Thos. C. Bulmer*
— *1892-93 W. A. Huguenin, M.D.*
— *1894-95 H.W. Garth*
— *1896-97 Aug. Comte*
— *1898-99 Chas. McClatchie*
— *1900-01 Eugene h. Godin, K.C.*
— *1902-03 Chris. H. Goulden*
— *1904-06 J.P. Gadbois, M.D.*
— *1907-08 A.E. Taylor*
— *1909-10 Geo. Normandin*
— *1911-13 H.W. Smyth*
— *1914-15 W.F. Hamilton*
— *1916-17 J.A. Brossard*
— *1918-19 Donald L. Campbell*
— *1920-21 W. H. Gathercole*
— *1922-23 F. Galibert*
— *1924-26 N. W. Power*
— *1927-34 A.R. Laflamme*
— *1935 Hector J. Smyth*
— *1936-37 Fred E. Stacpool*
— *1938-41 Hector Fournier*
— *1942-46 W. Mander*

N'oublions pas de souligner le travail des sauveteurs. Étant donné la quantité de baigneurs qu'il y avait au Club, il était vital qu'il y ait une bonne équipe de sauveteurs. Monsieur Arthur Verret fut le chef de cette équipe pendant 23 ans. MM. L. Rousseau, M. Rivest, R. de Varennes et N. McGregors, lui prêtaient main forte. Ils avaient aussi la tâche d'apprendre à nager à ceux qui le voulaient. Monsieur Verret veillait aussi à la bonne exécution des travaux d'entretien. Les services de monsieur Verret étaient prêtés par le Canadien Pacifique dont il était employé permanent à l'atelier de peinture. Le Club appréciait hautement ce geste courtois.

Grâce au Club, plusieurs nageurs connurent la gloire: A. H. Mander, Raoul Verret, Alf Grosset et Georges Vernot.

Le Club ferma ses portes au milieu des années cinquante, laissant le souvenir d'une époque où l'on pouvait encore se baigner dans les flots du Saint-Laurent[4].

---

1. **Brochure soulignant le 75e anniversaire du Montreal Swimming Club, 1876-1950.**

2. Ibid.

3. Ibid.

4. Ibid.

CHAPITRE QUATORZIEME

Kilda se marie

POUR LA DERNIERE ANNÉE SCOLAIRE D'ANNA et sous les conseils du docteur Leblanc, Adèle et Alfred placèrent Anna en pension chez madame Boyer, la sacristine de la chapelle Bonsecours. Les repas qu'elle y prendrait seraient plus substantiels que la nourriture frugale que l'on servait au couvent. De plus, cet arrangement permettrait à Anna de revenir chez elle à chaque fin de semaine.

Peu avant la rentrée des classes, Anna et sa mère rendirent visite à madame Boyer. C'était une femme joviale, toute menue avec des cheveux gris tirés en chignon. Elle avait les yeux verts et semblait débordante d'énergie. La sacristine leur fit visiter sa maison. La décoration était recherchée. La seule extravagance: un magnifique piano de concert qui trônait, majestueux, au milieu du salon.

Anna était sidérée.

— Il est superbe, n'est-ce pas, mademoiselle Anna? dit madame Boyer.

— J'en ai vu en photo, mais jamais en vrai, répondit Anna.

Anna se dit qu'un jour elle aussi jouerait sur un piano comme celui-là.

De chez madame Boyer, Anna devait prendre les "p'tits chars" pour se rendre au couvent. Elle apprit vite à s'orienter dans les rues de Montréal. Ses principales sorties étaient d'aller visiter sa petite nièce Jeanne chez Lézy, d'aller à la bibliothèque avec Kilda et, quand le temps le permettait, de se rendre à l'île.

Anna n'avait jamais vu madame Boyer s'approcher du piano. Un jour qu'elle rentrait plus tôt de l'école, à cause du décès d'une des religieuses, elle surprit madame Boyer jouant admirablement des valses de Strauss. Anna était ébahie de constater comment certains airs pouvaient prendre autant de charme quand ils étaient joués avec intensité.

— Anna, vous m'avez surprise, dit-elle embarrassée. Elle baissa doucement le rabat sur le clavier.

— J'aimerais bien apprendre les airs que vous jouiez quand je suis arrivée.

— Je ne pourrai jamais faire mieux que les religieuses.

— Au couvent, j'apprends à lire des notes; je joue des gammes, des arpèges, mais je ne joue pas vraiment. S'il-vous-plaît, apprenez-moi!

Madame Boyer lui apprit à jouer de la musique avec âme.

Anna termina l'année scolaire et reçut son diplôme. Madame Boyer regretterait sa jeune pensionnaire.

— Je reviendrai vous visiter, la rassura Anna, grâce à vous j'ai appris beaucoup de choses, surtout l'amour de la musique. Je vous en remercie du plus profond de mon coeur.

Elles se quittèrent un peu tristes mais, elles savaient qu'elles se reverraient souvent.

***

Alfred, pour récompenser sa cadette de ses succès scolaires, voulut lui faire plaisir. Il l'amena à l'écurie où il lui avait préparé une surprise. La vieille jument trônait dans sa stalle avec une magnifique selle d'amazone.

Anna s'approcha, toucha la selle du bout des doigts:" Mon rêve! Qu'elle est belle! Merci, c'est merveilleux, je veux l'essayer tout de suite."

— Je savais que tu me dirais ça. C'est pour ça que la Grise est toute parée.

Alfred recula pour juger de l'effet.

— Tu es superbe, Anna.

Anna prit le sentier et entra dans le boisé. Elle apprit très vite cette nouvelle façon de monter.

On était tous heureux du retour d'Anna. Mais Anna sentit que quelque chose n'allait pas. L'atmosphère à la maison était lourd et un sentiment indéfinissable flottait dans l'air. Adèle, habituellement si joviale, demeurait parfois silencieuse durant de longues périodes.

Cette tension connut son point critique le jour où Lézy vint leur rendre visite.

— Maman, j'ai une bonne nouvelle à vous apprendre; je vais avoir un autre bébé.

— Vraiment? Moi aussi j'en ai une à te dire, ma fille: je suis enceinte moi aussi.

Cela fit l'effet d'une bombe sur Lézy, qui, dépassée par la nouvelle, fustigea sa mère:

— Comment ça, enceinte? Y avez-vous pensé? Vous avez quarante-quatre ans! Vous êtes bien trop vieille, et pis, on fait pu ça à votre âge.

Adèle, qui déjà se sentait honteuse de son état, réagit violemment aux propos prudes et égoïstes de Lézy et la gifla.

Lézy, la main sur la joue, resta silencieuse. Elle dévisagea sa mère, ramassa ses affaires et quitta la maison. Anna et Kilda avaient entendu la conversation.

— C'est donc pour ça que la mère avait des humeurs. Elle va avoir un bébé... et Lézy aussi!

L'atmosphère déjà lourde devint écrasante. Le soir lorsque Alfred rentra à la maison, il trouva Adèle assise au bout de la table, le front appuyé sur ses avant-bras et qui sanglotait. Alfred était étonné. La seule fois où il l'avait vu dans cet état avait été au double décès de Joseph-Alfred et de Jean-Baptiste.

— Mais veux-tu ben me dire qu'est-ce que t'as?

Adèle lui raconta son altercation avec Lézy.

Alfred, malheureux de voir sa femme dans un tel état d'épuisement moral et physique, aurait bien voulu trouver des mots de réconfort. Mais Alfred était un homme d'action et les mots ne lui venaient pas facilement. Alors, il serra Adèle contre lui et l'amena dans la chambre. Il la borda. Adèle exténuée s'endormit rapidement.

Alfred resta longtemps dans la chambre à caresser les cheveux d'Adèle. Il prit une décision: dès le lendemain, il irait voir Lézy pour mettre au clair une situation qu'elle aurait dû comprendre.

Mais Lézy ne voulut rien entendre.

Au début de novembre Adèle se décida, à préparer la venue de l'enfant qu'elle portait. De leur côté, Kilda et Anna avaient cousu des vêtements pour le bébé mais aucune des deux n'avait osé les offrir à Adèle. Lorsque les filles virent le berceau, installé près du lit des parents, elles y déposèrent les petits vêtements. Adèle entra dans sa chambre ce soir-là et elle vit les jaquettes brodées, les bonnets avec les cordons de satin ainsi qu'une petite couverture crochetée. Elle prit le trousseau et alla frapper à la porte d'Anna.

Kilda était avec sa soeur.

— Je suis contente que vous soyez là, toutes les deux. Vous avez très bien travaillé! C'est très beau. Merci.

Tôt le matin du 17 décembre, Alfred dut aller chercher le docteur Leblanc.

Lorsqu'ils arrivèrent à la maison, Anna les attendait impatiente.

— Enfin vous arrivez! Maman ne semble pas bien du tout. Dépêchez-vous papa, m'man a besoin de vous savoir proche.

— J'ai peur Anna, dit-il. J'ai peur de la perdre.

Anna regarda son père . Il lui semblait vieux tout à coup.

Adèle était rendue presque au terme de son accouchement. Le docteur dut demander à Kilda de l'aider.

— Oui, Docteur, je vais vous aider, répondit Kilda, d'une voix hésitante.

— Madame Dubois, votre fille va nous aider à mettre ce petit enfant au monde.

— Mais ça pas d'allure, c'est ma fille.

— Vous m'aviez pas dit qu'elle était pour se marier bientôt? Dans ce cas, elle saura comment viennent les enfants.

Le travail d'Adèle fut long et difficile.

Au moment de la naissance, Kilda fut émerveillée. Tout se passait si vite après une si longue attente, elle se retrouva avec un petit être vagissant dans les bras. Elle sortit doucement de la chambre.

Alfred, anxieux, attendait près de la chambre.

— Tout va bien, papa. C'est une fille, lui dit Kilda.

Après avoir fait la toilette de l'enfant, elle la ramena à sa mère.

— Maman, vous avez vu comment elle est délicate.

Adèle, pâle et fièvreuse, resta muette. Elle prit le poupon dans ses bras telle une automate.

— J'ai pensé qu'elle pourrait s'appeler Éliane. Elle est longue et fine comme une liane, reprit Kilda. Est-ce que Raoul et moi pourrions être "dans les honneurs"?

— Tu verras ça avec ton père. Tu peux emporter le petit lit avec toi, je ne l'allaiterai pas. Je l'ai dit au docteur. Il va te montrer comment préparer un biberon, répondit sèchement Adèle.

Le lendemain matin, Alfred envoya Kilda et Anna faire baptiser la petite Éliane car il préférait demeurer au chevet d'Adèle. Les deux filles iraient chercher Raoul pour les accompagner.

Anna conduisit le traîneau jusque chez Raoul qui prit les rênes à son tour et les amena à l'église Saint-Vincent-de-Paul. Le vicaire Dorval procéda à la cérémonie. Raoul et Kilda signèrent les registres.

Au retour, Anna lui demanda d'arrêter chez Lézy.

Depuis qu'Alfred était venu lui parler à la fin de l'été, Lézy, orgueilleuse, ne leur avait donné aucun signe de vie.

— Bon ben, vous êtes rendues, dit Raoul, je vous attends dehors, moi les affaires de famille, j'aime mieux pas m'en mêler.

_ Comme tu veux, mais tu feras bientôt partie de c'te famille-là, lui répondit Anna en riant.

Kilda et Anna, appréhendant la réaction de Lézy, prirent une grande respiration avant de frapper à la porte.

— Qu'est-ce-que vous faites ici? Il n'est rien arrivé à la maison? demanda Lézy en regardant en direction du traîneau.

— Inquiète-toi pas; c'est Raoul qui conduit. Papa est à la maison avec maman. On vient te présenter ta soeur Eliane, elle est née hier, lui dit Anna.

— Tu peux la regarder, tu sais.

— Elle est belle. Papa sait que vous êtes ici?

— Non, il nous l'aurait sûrement défendu.

— Je suppose que vous êtes là pour me demander d'aller m'excuser.

— Lézy, tu feras ce que tu veux. Nous, on est juste venu te montrer Éliane. Et puis, on voulait avoir de tes nouvelles. C'est tout. Pour le reste, c'est ton affaire.

— Tout le monde aimerait bien vous voir à Noël, on s'ennuie de la petite Jeanne.

Le réveillon se fit sans la famille Gratton. Il y eut une tempête épouvantable. C'était peut-être la bonne excuse pour cette absence. Seule Lézy aurait pu répondre à cela...

Kilda prit soin d'Éliane comme si elle en était la mère. Personne ne pouvait approcher du bébé sans montrer patte blanche.

Anna lui fit remarquer qu'elle en oubliait presque son mariage avec Raoul.

— Ben non, j'ai pas oublié que je me mariais dans quatre mois mais je dois m'occuper de la petite.

— Kilda, c'est pas "ta" petite, c'est ta soeur!

— Maman est encore fatiguée, pis Eliane fait pas encore ses nuits.

Adèle entendit la conversation entre ses deux filles et consciente du désintéressement qu'elle avait éprouvé face à Eliane, décida de reprendre son rôle de mère.

— Kilda, tu en fais trop, lui dit Adèle, je vais beaucoup mieux maintenant. J'aimerais que tu réinstalles Eliane dans ma chambre. Anna va pouvoir m'aider.

— Mais maman...

— Je sais que tu t'es donnée beaucoup, Kilda, lui dit Adèle doucement. Maintenant, c'est à moi d'en prendre soin. Prépare ton mariage, le mois de juin va venir vite, tu vas voir.

Hiver 1921. Éliane Dubois, 17 ans.

Élisabeth Dubois.

— Vous avez raison, mais c'est pas facile.

Anna s'approcha de sa soeur.

— Viens je vais t'aider.

Malgré l'attachement, quasiment maternel, qu'elle vouait à cet enfant qu'elle avait contribué à mettre au monde, Kilda était soulagée de voir sa mère en voie de guérison.

***

Kilda avait choisi sa robe de mariée. Elle et Ernest avaient loué un appartement sur la rue de Montigny. Tout était presque prêt, il ne restait plus qu'à s'occuper de la cérémonie.

La seule ombre au tableau: Lézy, qui n'était pas revenue dans l'île depuis l'automne. Sa présence au mariage était très improbable. Alfred et Adèle étaient restés sans nouvelles de leur aînée depuis le baptême d'Eliane et ils ignoraient même comment s'était passé son accouchement jusqu'au jour où Ernest leur rendit visite.

— On a eu une fille le 25 avril. Elle s'appelle Gabrielle.

— On est rendu le premier juin, répondit Alfred, acerbe.

— Je le sais, mais Lézy est têtue comme une mule. Elle voulait pas que je vienne, mais elle est malheureuse d'être séparée de vous.

— Lézy s'est séparée elle-même. Elle sait ce qu'elle a à faire. Nous autres aussi, ça nous a dérangés tout ça, répondit Alfred sur un ton coupant.

Ernest fit mine de partir, Alfred l'arrêta.

— Tu peux rester à dîner, si tu veux.

— Non, c'est mieux pas. Lézy m'attend.

Adèle avait des larmes qui coulaient sur ses joues.

— Gabrielle... C'est un beau nom.

Se ressaisissant, elle prit son châle et rajouta:

— Je pars avec toi, Ernest, je veux voir mes petites filles Jeanne et Gabrielle.

— Je vais m'occuper d'Eliane, dit Alfred stupéfait.

Il connaissait la détermination de sa femme: Lézy serait présente au mariage de Kilda. Ça, il pouvait en mettre sa main au feu.

Raoul Maurice.

***

Le matin du 12 juin 1905, Kilda devait quitter l'île pour la dernière fois en tant que mademoiselle Dubois.

La cérémonie eut lieu à l'église Notre-Dame-des-Neiges. Raoul semblait avoir passé la nuit dans l'amidon tant il se tenait droit dans son costume. Kilda, au bras de son père, rejoignit son fiancé qui l'attendait, nerveux, devant le Père Hébert. Les parents de Raoul étaient présents ainsi que quelques amis de la famille Maurice. Les soeurs de Kilda y étaient toutes, sans exception. Lézy semblait très heureuse d'y être. Alfred prit discrètement la main d'Adèle et lui chuchota à l'oreille en regardant Lézy.

— Je ne sais pas ce que tu lui as dit, mais ça a marché.

Adèle lui répondit par un sourire.

À la fin de la cérémonie, alors qu'on se préparait, sur le parvis de l'église, à prendre la traditionnelle photo , Kilda refusa de se faire photographier.

— Kilda, ça se fait pas de se marier sans photo. Tu vas le regretter plus tard, lui dit Lézy.

— J'ai un bouton sur le nez et je suis certaine que ça va paraître sur les photos. Je veux pas me faire poser.

— C'est toi qui décides, lui dit Lézy.

Et il n'y eut pas de photo.

CHAPITRE QUINZIEME

Chagrin d'amour

L'ÉTÉ PRÉCÉDENT, ANNA AVAIT TRAVAILLÉ au restaurant de monsieur Lamarre. Comme celui-ci n'avait pas renouvelé son contrat à l'été 1905, Anna se retrouva sans emploi à quelques jours de l'ouverture de l'île.

Anna se rendit donc au restaurant, pour y rencontrer le nouveau concessionnaire qui était dépassé par les événements car, à quatre jours de l'ouverture, le restaurant ressemblait à un champ de bataille.

— Bonjour Monsieur, je voulais savoir si vous engagiez, pour le restaurant.

L'homme leva les bras au ciel.

— Le restaurant, dit-il, s'il y en a un. Mon contrat m'oblige à être prêt la veille de l'ouverture. J'aurais jamais le temps de tout faire en quatre jours.

— J'ai travaillé ici l'année dernière; je pourrais peut-être vous aider.

— Mademoiselle, si je peux ouvrir d'ici quatre jours, je vous engage à vie, lui dit l'homme reconnaissant.

— Je ne connais même pas votre nom.

— Anna Dubois, je suis la fille du gardien. Vous devriez aller voir mon père. Il vous dira où se trouvent les tables et les chaises. Pendant ce temps, je commencerai le ménage ici. Sur ce, elle se dirigea vers une armoire et en sortit un balai ainsi qu'une chaudière et des chiffons. Marinus Desmarès et Anna travaillèrent ferme et tout fût prêt pour l'ouverture de l'île.

Marinus Desmarès, surnommé "le grand Desmarès", était originaire de Princehagen en Hollande. Il y était né le 25 octobre 1864. Il est venu ici avec ses deux frères Adrianus et Pierre. Aucun document nous indique la date de leur arrivée à Montréal. Bien qu'ils aient été tous les trois restaurateurs, seul Marinus opéra une concession à l'île Sainte-Hélène.

Monsieur Desmarès respecta sa promesse et embaucha Anna comme gérante.

Anna remplissait bien sa tâche. Monsieur Desmarès trouvait en elle une aide précieuse.

Les affaires à la concession de monsieur Desmarès allaient bon train. Malgré l'espace restreint, le restaurant ne dérougissait pas de clients. Il faut dire que «le grand Desmarès» comme il aimait se faire appeler, avait innové en fait de cuisine. Il offrait à sa clientèle plusieurs plats différents; mais celui qui attirait le plus était des pommes de terre frites dans du suif de boeuf servies avec de la mayonnaise maison.

La gent militaire abondait[1]. Anna appréciait la compagnie de ces jeunes gens qui passaient au restaurant. Elle avait remarqué, entre autres, un jeune militaire qu'elle trouvait particulièrement séduisant. Il venait très souvent lui acheter du tabac.

Anna finissait de ranger les dernières tasses et s'apprêtait à quitter le restaurant quand on l'interpela. Elle sursauta et rougit en reconnaissant le militaire.

— Vous voulez du tabac? Vous êtes chanceux, d'habitude le restaurant est fermé à cette heure-là.

— C'est vrai? dit-il avec un léger accent, il faudra que j'apprenne à venir plus tôt. Merci beaucoup Mademoiselle... Mademoiselle qui au fait?

— Anna Dubois.

— Dubois, êtes-vous parente avec le gardien?

— Je suis sa fille. Vous connaissez mon père?

— Pas vraiment, il vient quelque fois au fort.

— Dites-moi votre nom, je lui dirai que je vous ai rencontré.

— Dick Taylor, je suis de la Milice Canadienne. Puis-je vous accompagner?

Anna était embarrassée.

— Pourquoi pas. Ça fait longtemps que vous êtes dans la Milice?

— Depuis 4 ans environ. Je n'avais pas beaucoup le choix. Tous les hommes dans ma famille sont militaires. J'ai été muté ici au début de l'année. Vous partez à la ville durant l'hiver, j'imagine?

— Non, l'hiver on reste ici. Mais ce qui est le plus difficile c'est l'attente de la prise des glaces. Après, on peut aller en ville.

— Savez-vous ce qui m'a le plus impressionné depuis que je suis ici, c'est quand les glaces se sont cassées, au printemps dernier. C'était magnifique.

— On dit la débâcle.

— Ah oui? Ce sera un nouveau mot français pour moi, merci.

Ils étaient presque arrivés chez Anna.

— Monsieur Taylor, mon père est dehors, venez, je vais vous présenter.

— Papa, je vous présente Dick Taylor, il est milicien à la caserne.

— Je suis heureux de vous connaître monsieur Dubois, dit Dick en lui serrant la main.

— C'est bien gentil de votre part de ramener Anna. Merci, lui dit Alfred.

— Est-ce que j'abuserais si je vous demandais la permission de raccompagner votre fille de temps en temps.

Alfred n'était pas habitué à autant de politesse.

— Je n'y vois pas d'objection, mais il faudrait demander à Anna. C'est elle que ça concerne.

— Cela me ferait plaisir, dit Anna un peu gênée.

— C'est vous qui me faites un honneur Mademoiselle. Alors à bientôt, dit-il en lui baisant la main.

En rentrant à la caserne, Dick croisa sa soeur Agatha. Elle était l'épouse du commandant et, commes les autres femmes d'officiers, elle habitait au fort. Dick aimait sa soeur car elle s'était occupée de lui depuis le décès de leurs parents alors qu'il n'avait que 6 ans. Parfois, Agatha prenait son rôle trop au sérieux.

— D'où viens-tu? lui reprocha-t-elle.

— Je suis allé me promener et j'ai raccompagné la fille du gardien chez-elle. Elle est vraiment très bien cette jeune fille.

— Je ne veux plus que tu revoies cette fille. Elle n'est pas de ton rang.

Sur cette sommation, Agatha tourna les talons et quitta le

Marie-Anna Dubois à l'age de 17 ans. Photo prise en 1905.

"carré de manoeuvres" laissant Dick, surpris et penaud, au milieu de la place. Dick sut que cela n'augurerait rien de bon pour lui.

Malgré l'interdiction d'Agatha, Dick continua à fréquenter Anna assidûment. Dès qu'il était libéré de son service, il s'arrangeait pour la retrouver. Anna profita d'un pique-nique familial pour présenter son amoureux.

Dick fit une forte impression sur la famille. On l'apprécia pour sa vivacité, sa politesse et surtout son sens de l'humour.

Anna, d'habitude si discrète, était exubérante. Un peu avant le souper, Dick, la prit à part.

— Je ne sais comment vous remercier pour la merveilleuse journée. Malheureusement, je dois partir maintenant car on m'attend à la caserne. Merci encore.

Il lui prit la main et la baisa.

— À bientôt Anna.

Amoureuse, Anna rayonnait. Elle ne pouvait deviner les sombres nuages qui se dessinaient à l'horizon, n'étant pas au courant du différend que vivait Dick avec sa soeur.

Alfred appréciait le jeune militaire, mais il devinait bien les nombreux obstacles qui s'érigeraient pour contrer le bonheur des deux amoureux. Une union entre catholique et protestant n'allait jamais de soi.

— Anna, quels sont tes sentiments pour Dick?

— Je l'aime, papa!

Alfred était bouleversé de lire tant d'amour dans les yeux de sa fille. Anna se confia à lui comme elle le faisait enfant. Alfred, attentif au bonheur de sa fille, l'écouta sans l'interrompre pour ne pas briser le charme qui l'enveloppait.

Dick était prêt à tout pour prouver sa bonne foi aux Dubois, il changerait même de religion s'il le fallait.

Il avait eu une conversation rassurante avec Alfred; le gardien acceptant la possibilité d'une union. Bientôt, il en était certain, il pourrait parler d'Anna comme de sa "fiancée". «Je saurai bien convaincre Agatha, se dit-il, dès qu'elle aura rencontré Anna, elle ne pourra faire autrement que l'aimer.»

Il mit Agatha au courant de ses projets.

— Je ne te laisserai jamais marier une *Canadienne-française catholique*.

Dick abandonna Agatha à sa bigoterie.

— Dans ce cas, ma chère soeur, nous n'avons plus rien à nous dire.

Agatha pleurait de rage.

— Si moi, ta soeur, je n'y peux rien, l'armée, elle, pourra y faire quelque chose...

Dick s'empressa d'aller rejoindre Anna.

— J'ai parlé à ma soeur de nos projets. Elle ne veut absolument pas me donner son consentement.

Il sortit un étui de sa poche dans lequel se trouvait un magnifique chapelet en cristal de roche. Par ce cadeau, Dick voulait lui signifier la grandeur de ses sentiments et sa détermination à concrétiser son projet de mariage.

— Peu importe ce qui arrivera, n'oubliez jamais que je vous aime. Et pour la première fois, il l'embrassa sur les lèvres. Le long baiser qu'ils échangèrent envahit Anna d'une telle détresse qu'elle en fut toute bouleversée.

— Je dois vous quitter, mais je ferai tout ce que je peux pour vous faire savoir ce qui se passe.

Il ne dit plus rien, seul son regard en disait long.

Anna, anéantie, resta seule, regardant le chapelet dans sa main. Elle mit du temps à réaliser que Dick était parti. Elle ramassa son manteau et marcha comme une âme en peine vers la maison.

Le lendemain, Anna ne se leva pas pour aller travailler au restaurant. Son père vint frapper à sa porte. Elle était habillée, sa chambre était rangée.

— Tu ne vas pas au restaurant aujourd'hui ? lui demanda son père.

Anna lui fit signe que non.

— Est-ce que tu es malade ?

Anna répondit encore par la négative. Alfred comprit que Dick devait y être pour quelque chose.

— Dick?

Anna éclata en sanglots, à travers ses larmes, elle raconta ce qui s'était passé.

Alfred prit sa fille dans ses bras et la consola comme il put.

— Écoute ce qu'on va faire. Tu vas aller au restaurant. Moi, je vais aller aux nouvelles.

À la garnison, Alfred dut se contenter de rencontrer le révérend Smith qui lui narra les événements de la veille.

Agatha avait raconté les projets de son frère à son mari, qui, fatigué des frasques de son jeune beau-frère, avait vu à ce que cette union ne se concrétise pas. Il avait fait préparer un ordre de mutation qui prenait effet immédiatement et avait menacé Dick de le mettre aux arrêts s'il tentait d'entrer en contact avec la fille du gardien. De plus, il avait donné ordre au commandant de la caserne où Dick devait être transféré de censurer tout son courrier.

Agatha avait gagné.

Quand Anna vit son père s'arrêter sur le pas de la porte du restaurant, elle sut qu'il était porteur de mauvaises nouvelles, et lorsqu'il lui rapporta sa conversation avec le révérend Smith, elle sentit le sang se retirer de ses veines. Jamais Anna n'avait ressenti de douleur aussi intense. Elle crut un moment que son coeur allait exploser. Elle aurait voulu comprendre pourquoi on leur faisait ça alors qu'elle et Dick étaient si bien ensemble.

Elle ne reparla plus jamais de Dick mais garda secrètement le chapelet qu'il lui avait donné la veille de leur séparation.

---

1. Rapport de la Commission des Parcs et Traverses de Montréal du 28 mars 1905:" Les membres de tout détachement militaire stationné sur l'île Sainte-Hélène et les Miliciens de service sur la dite île devront être transportés gratuitement". réf: 346, 1905-1915, 3e série, Conseil, Rapport dossier de la Commission.

Chapitre Seizieme

Le mariage d'Anna

Au mois d'août 1909, Adèle reçut une lettre de son amie Emilie. Les deux femmes tenaient une correspondance fidèle. Naissances et décès étaient ainsi tenus à jour; mariages ou amours rompues faisaient la joie ou la tristesse de chacune. Adèle ouvrit avec empressement le pli qui lui était destiné.

«Ma chère amie, notre fils, Alphonse, voudrait aller à Montréal en janvier prochain. C'est un grand gars qui n'a pas peur de l'ouvrage. J'ose vous demander, à toi et à Alfred, si cela est possible, de l'aider à s'héberger jusqu'au moment où il trouvera du travail. Je vous remercie à l'avance...»

La lettre se terminait par des nouvelles de la famille.

Adèle et Alfred étaient contents de pouvoir rendre service au fils de leurs vieux amis.

— J'vas l'aider à trouver une bonne job, dit Alfred.

— J'vais écrire ça à Émilie. Elle va être contente.

Adèle posta sa lettre le soir même.

Au souper, Alfred et Adèle annoncèrent à Anna qu'ils auraient bientôt un pensionnaire.

— Il va rester ici?

— Certainement! Il n'est pas question qu'il aille vivre ailleurs, répondit Alfred.

— Où allez-vous l'installer?

La question d'Anna était posée avec humeur.

— Voyons donc, Anna. Tu le verras presque pas. Ton père va lui trouver de l'embauche rapidement.

Adèle savait ce qui dérangeait Anna. Depuis le départ de Dick , elle était devenue une vraie «sauvageonne».

Alphonse Lebreton débarqua à la gare Windsor le 23 janvier 1910. Alfred l'attendait sur le quai. Tout à coup, il crut apercevoir son ami Hector, tant le fils ressemblait au père.

— Bienvenue à Montréal, Alphonse. T'es tout le portrait de ton père. Ma femme a bien hâte de te connaître.

Il faisait très froid et Alfred passa au jeune homme une "Buffalo".

— Tu vas trouver ça pratique, quand on va traverser le fleuve.

Pendant le trajet, Alfred s'enquit des projets d'Alphonse.

Celui-ci voulait être policier. D'après Alfred, il répondait à tous les critères d'embauche: il savait lire et écrire, il était en bonne santé, il avait du jugement et parlait anglais.

— Je suis content que tu aies choisi ce métier-là. Si mes fils avaient vécu, ils auraient peut-être fait comme toi, lui dit Alfred.

Ils arrivèrent transis de froid malgré les peaux de bison. Adèle prépara du gin avec de l'eau bouillante et du miel, pour les réchauffer.

Le souper fut joyeux et ils se couchèrent tard ce soir-là. Anna trouva le jeune homme charmant.

Alphonse passa avec succès sa période d'entraînement. Lorsqu'il fut reçu policier, Alfred l'invita à s'installer à la maison. Alfred aimait bien ce garçon un peu gauche d'allure, mais énergique. Il lui reconnaissait la droiture naturelle qu'il avait appréciée chez Hector, vingt-cinq ans plus tôt.

Comme à chaque année, Anna devait préparer l'ouverture du restaurant.

— Papa, allez-vous pouvoir m'apporter les chaises et les tables du hangar?

Alphonse qui était là, lui dit:

— C'est toi qui s'occupes de tout? C'est toute une responsabilité, dit Alphonse, admiratif.

— C'est pas aussi difficile que ça paraît. J'aime travailler avec le public.

Alphonse lui proposa de l'aider et ils travaillèrent ferme jusqu'à tard dans la soirée. Sur le chemin du retour, Anna lui confia:

— J'ai vraiment apprécié ta compagnie, aujourd'hui. Quand j'ai su que mes parents voulaient te prendre comme pensionnaire... ben, ça faisait pas mon affaire.

Alphonse la regarda surpris. Elle poursuivit:

— Mais je me rends compte que je me serais privée d'un ami.

Le grand Desmarès, gesticulant comme une girouette, donnait des ordres à trois hommes qui semblaient avoir un mal fou à transporter une énorme caisse.

— Faites attention, disait-il, c'est fragile.

Après beaucoup d'efforts, une magnifique armoire fut installée dans la salle à manger du restaurant.

— Marinus, ton armoire, c'est une oeuvre d'art et je m'y connais, lui dit Alfred.

Desmarès sortit du restaurant et revint avec une boîte qu'il déposa avec précautions sur une table.

Il ouvrit le couvercle. Anna s'approcha de la boîte et sortit des assiettes en porcelaine blanche et bleue. Elles étaient décorées de jolis dessins illustrant des moulins à vent et des tulipes. Il y avait aussi les tasses et les soucoupes. Une fois installés sur les étagères de l'énorme armoire, les couverts produisaient un effet remarquable.

— C'était comme ça dans mon pays, Anna, lui dit monsieur Desmarès en tenant une assiette dans ses mains.

Avec l'aide d'Alphonse et d'Alfred, monsieur Desmarès put repeindre l'intérieur du restaurant. Les nappes et les serviettes de table furent également changées. Monsieur Desmarès avait vu juste. Les rénovations apportées au restaurant furent un succès. Les gens affluaient. Desmarès avait ajouté au menu des spécialités de son pays natal.

*L*es archives municipales de Montréal nous donnent les noms des personnes qui ont obtenu le privilège de vendre des rafraîchissements et d'exploiter des jeux sur l'île Sainte-Hélène: Arcade Dépatie, J.B. Mathyl opérait certains jeux (non inscrits) et Jos Langlois

Selon copie d'un acte notarié, passé devant Me Perreault, notaire public, le 13 avril 1905, le bail de la concession de Jos Langlois fut cédé pour un terme de cinq ans à monsieur Marinus Desmarès.

De 1910 à 1919, la concession fut renouvellée à Marinus Desmarès.

Les contrats de privilèges et d'exploitation des jeux contractés d'une année à l'autre devaient sûrement être similaires.

Voici quelques extraits d'un cahier de charges passé par Marinus Desmarès avec le Bureau des Commissaires de la Ville de Montréal en 1915.

"Cette concession comporte les droits et obligations suivants:

Le droit exclusif de vendre dans l'Ile Ste-Hélène, des rafraîchissements, victuailles, bonbons, pâtisseries, fruits, cigares, tabac et ce pendant une période d'une année, à compter du 15 mai 1915, durant sept (7) jours, la semaine et ceci en autant seulement que les lois du pays et les règlements de la Cité le permettent.

Le droit d'introduire, garder et maintenir dans la dite Ile Ste-Hélène, aussi pendant une période d'une année, à compter du 15 mai 1915, une galerie photographique et un atelier de photographies, une galerie de tir à la cible, carrousel, (merry-go-round). La Cité se réserve le droit de faire à d'autres, des concessions non expressément mentionnées dans le présent cahier des charges.

Le droit de se servir, pour la vente desdits rafraîchissements et l'exploitation des jeux, des constructions suivantes, actuellement érigées sur l'Ile Ste-Hélène, ainsi que des objets qu'elles contiennent appartenant à la Cité, à savoir:

(a)   Un kiosque situé près du débarcadère.

(b)   Un kiosque situé du côté Est des balançoires

(c)   Les balançoires et la clôture qui les entoure

(d)   Un kiosque pour la vente des fruits, situé en face
        de l'emplacement sur lequel était située la maison
        au jeu de quilles.

(e) *Une écurie située en arrière de l'emplacement ci-dessus désigné.*

(f) *Une construction connue et désignée sous le nom de restaurant principal.*

(g) *Une construction servant de glacière, située en arrière du restaurant principal.*

(h) *Un atelier photographique.*

(i) *Un carrousel (merry-go-round)*

(j) *Les articles suivants qui se trouvent dans le restaurant principal, à savoir:*
une vitrine (show-case), une glacière, deux comptoirs dans le café et un comptoir dans la chambre des dames.

(k) *Un kiosque près de la demeure de l'assistant-surintendant."*

Le concessionnaire devait également réparer et tenir en bon état, hiver comme été, les constructions; débarrasser les couvertures de la glace et de la neige qui pourraient s'accumuler pendant l'hiver faute de quoi, le tout pourrait être fait par le Bureau des Commissaires, quand bon lui semblera, aux frais et aux dépens, risques et périls dudit concessionnaire.

(...)

"...balançoires, canes, tirs (shooting gallery), quarante-huit jeux de poissons, de bonhommes, de catins, de crachoirs, le volcan, la vente de patates frites et la roue de cigares et autres jeux analogues y relatifs et accessoires..."

***

Lézy, Kilda et leurs enfants vinrent passer l'été à la maison familiale; leurs maris venaient les rejoindre les fins de semaines.

Malgré qu'elle n'eût plus autant d'énergie qu'elle l'aurait souhaité, Adèle aimait bien avoir ses enfants et ses petits-enfants autour d'elle.

Lézy renouait avec le passé tandis que Kilda révélait à ses garçons les endroits secrets de l'île.

L'amitié d'Alphonse et d'Anna s'intensifiait avec les semaines. Alphonse allait la chercher au restaurant presque tous les soirs.

Anna était une très jolie jeune femme; ses cheveux étaient d'un noir de jais qu'elle gardait remontés en chignon. Elle avait la taille fine accentuée par la coupe de ses vêtements.

Alphonse ne resta pas insensible aux charmes de sa nouvelle amie. Ses sentiments évoluèrent rapidement; mais quand il essayait de s'approcher un peu trop près d'Anna, elle se déplaçait discrètement. Malgré leur amitié naissante, Anna avait eu quelque pudeur à raconter son épisode amoureux avec Dick. Elle avait à peine laissé filtrer quelques bribes.

Les deux jeunes gens étaient passionnés pour les arts. Aussi, quand Aphonse apprit que le Cercle LaSalle, fondé par le frère Marie-Victorin, présentait le drame historique "Charles Lemoyne"[1], il se proposa d'y amener Anna.

— Maman, savez-vous quoi? Alphonse m'a demandé de l'accompagner à la pièce "Charles Lemoyne", à Longueuil, et j'ai dit oui. Pensez-vous que ma roble en velours bleu, avec le collet en guipure blanche, ferait l'affaire?

Adèle se réjouissait, c'était la première fois qu'Anna acceptait une invitation depuis le départ de Dick.

Alphonse attendait Anna dans la salle de séjour.

La petite Eliane, alors agée de six ans, le regardait avec de grands yeux.

— Est-ce que je peux aller avec vous?

— Il va faire noir quand on va revenir.

— C'est pas grave, je vais dormir plus tard demain. Moi aussi je suis grande, je vais aller demander à maman; et rapide comme un furet, elle disparut vers la cuisine, non sans accrocher Anna qui entrait.

Alphonse, les yeux brillants, lui tendit le bras en lui chuchotant à l'oreille.

— Tu es tout simplement une beauté!

Les deux amis partirent joyeusement, sous le regard attendri d'Adèle qui tentait de raisonner Eliane.

Alphonse s'était proposé d'aller manger une crème glacée chez Simatos avant de se rendre à la salle du Conseil de l'Hôtel de Ville, où se tenait la représentation.

Anna Dubois et Alphonse Lebreton, le jour de leur mariage.

Les trois enfants d'Anna et d'Alphonse : Gabrielle, née le 27 août 1913;
Germaine, née le 23 mars 1916 et Alfred, né le 12 août 1912.

Tout Longueuil était là; le bateau de Montréal transportait des invités de marque venus assister à la pièce.

La soirée débuta par un mot du président du Cercle La Salle, monsieur Max. Brissette, qui tenait le rôle du chef indien Garagonthier dans la pièce.

Alphonse et Anna attendaient fébrilement la levée du rideau. Les lumières s'éteignirent et on entendit la sonnerie des tambours et clairons précédant l'entrée des acteurs.

Le rideau s'abaissa sur les dernières notes de l'orchestre Sainte-Cécile. Le public applaudit à tout rompre et, dans les coulisses, le frère Marie-Victorin, entouré, devint le héros du jour.

Sur le chemin du retour, Alphonse et Anna, encore sous le charme, discutèrent abondamment de la pièce.

À la descente du bateau, Alphonse prit le bras d'Anna pour l'aider à franchir la passerelle. Lui retenant la main, il lui dit:

— Anna, je voudrais te dire merci d'avoir accepté mon invitation. Je veux te dire aussi que je sais que tu me considères seulement comme un bon ami; eh bien pour moi c'est plus sérieux.

Anna s'approcha davantage et lui sourit. Aucun autre mot n'était nécessaire, ils s'étaient compris.

On célébra leur mariage le 24 octobre 1911. Ce qu'il y avait de particulier en ce 24 octobre, c'était qu'à l'église Saint-Vincent-de-Paul, la cérémonie de six heures trente devait unir huit couples en même temps. Anna et Alphonse devaient former le huitième couple, mais le père Paquette, un ami de la famille, accepta de bénir leur union en privé, dans une chapelle latérale. Le dîner des noces fut offert par Kilda, qui avait acouché de sa fille Marcelle un mois plus tôt.

---

1. Pièce en trois actes écrite par le Frère Marie-Victorin et dans laquelle l'ancien maire de Montréal, Camilien Houde, a déjà tenu un rôle alors qu'il était étudiant.

CHAPITRE DIX-SEPTIEME

Adieu l'île!

ALFRED ATTENDAIT LE TRAVERSIER au débarcadère de l'île Sainte-Hélène. Plus tôt dans la semaine, ses filles étaient venues l'aider mettre de l'ordre dans ses affaires. Alfred avait apprécié la discrétion dont elles avaient fait preuve en faisant le ménage dans les effets d'Adèle.

Les souvenirs se bousculaient dans sa tête. Tant de choses s'étaient passées depuis quelques années. Adèle était-elle décédée depuis une semaine ou bien depuis deux ans?

Alfred, appuyé contre la clôture du débarcadère, entendit, au loin, la sirène du traversier qui quittait le quai Victoria.

La Grise piaffait. Alfred s'en approcha et lui caressa le museau : "Tout doux, tout doux! Tu sais, la Grise, j'aurais jamais pensé que je serais heureux de quitter l'île!"

Alfred parlait à sa monture. Elle avait été de toutes les rondes avec lui depuis quinze ans. La Grise était devenue, en quelque sorte, une confidente muette. La bête hochait la tête comme pour signifier qu'elle comprenait les paroles de son maître comme pour inviter Alfred à la confidence. L'ancien capitaine de police évoqua les naissances d'Alfred, le fils d'Anna et d'Alphonse, et de Fernand, le quatrième de Kilda et de Raoul.

Ses petits-fils étaient une consolation pour le vieil homme; ses fils n'étaient pas nés assez forts pour survivre, mais ses filles et ses gendres avaient su combler ce vide.

...On parlait d'un nouveau gouverneur. Depuis 1909, date

du décès de monsieur Desmarteau, monsieur Bernadet, responsable des Parcs et Traverses, avait pris la responsabilité des lieux. Il connaissait l'efficacité d'Alfred et ne voyait pas l'utilité de combler immédiatement le poste laissé vacant par monsieur Desmarteau. Cependant, quelque temps plus tard, il avait fait part à Alfred que la ville exerçait des pressions pour qu'il nomme un nouveau gouverneur.

—J'espère que ça sera pas un jeune révolutionnaire, je suis rendu trop vieux pour changer mes habitudes, lui avait répondu Alfred en riant.

Un gouverneur avait tout de même été nommé.

Alfred se remémorait aussi le décès tragique de Gabrielle, la fille de Lézy et d'Ernest.

...À cette époque, les autorités médicales faisaient la promotion des vaccins comme méthode d'enraiement des maladies infantiles. Ernest et Lézy firent donc vacciner leurs deux filles, Jeanne et Gabrielle. Malheureusement pour la petite Gabrielle, l'inoculation, qui aurait dû la protéger de la maladie, lui fut fatale. Elle tomba dans un coma qui dura deux jours et mourut le 8 juin 1913 à l'âge de 8 ans. Ses parents étaient dévastés par la culpabilité.

...Quelques mois plus tard, Anna accoucha d'une fille. Elle demanda à Lézy d'être la marraine de sa dernière-née et lui laissa décider du nom de l'enfant. Lézy choisit de l'appeler Gabrielle en souvenir de sa fille décédée. Le geste généreux d'Anna permit à Lézy de surmonter son deuil et peut-être, dans une moindre mesure, d'alléger son sentiment de culpabilité.

Le traversier était presque arrivé au débarcadère. Alfred, le dos voûté par ses souvenirs, regardait la maison.

...Adèle était partie sans avertir personne; elle était fatiguée, mais pas plus que d'habitude.

—Je pense que je vais dormir un peu cet après-midi, avait-elle dit, j'ai fini mon ouvrage.

—Profites-en, Adèle, moi je vais aller faire ma corvée de bois.

Lorsqu'il revint à la maison, il ne fit pas de bruit pour ne pas la déranger dans son sommeil. Autour de cinq heures, il voulut la réveiller, mais il se rendit compte qu'Adèle dormait d'un sommeil éternel...

Le traversier était en train d'accoster.

"Maudit que ça été difficile, La Grise. Je suis chanceux d'avoir eu des amis comme Desmarès et Roussin. Eux aussi m'ont bien aidé à passer au travers de tout ça."

Alphonse et Ernest vinrent rejoindre leur beau-père.

— C'est correct le beau-père, on va s'occuper de la jument et de la charrette.

Alfred n'écoutait pas; il était plongé dans ses pensées.

...Un soir de février, alors qu'il terminait sa ronde quotidienne, il avait aperçu une masse sombre sur la glace. Croyant avoir affaire à un animal, il s'en était approché et, avec horreur, avait reconnu son gendre Alphonse qui, plongé dans l'eau jusqu'à la taille, s'agrippait désespérément au rebord de la glace traîtresse.

—Dépêchez-vous le beau-père, je sens plus mes jambes.

—Tiens bon, je vais chercher La Grise.

Alfred fit approcher la jument avec précaution. Il prit la corde qu'il gardait en permanence attachée à la selle et confectionna prestement un noeud coulant.

—Glisse ça autour de ta taille, la jument va te tirer de là. Si ça fait mal, serre les dents parce que je l'arrêterai pas.

—C'est correct, de toute façon j'sens pu rien.

Alfred savait qu'il devait faire vite. Il réussit à retirer son gendre de sa situation précaire et le hissa sur le dos de la jument. Il tint les rênes de l'attelage et courut jusqu'à la maison.

—Anna, Anna, cria-t-il. Viens vite m'aider.

Anna aida son père à traîner Alphonse à l'intérieur de la maison. Sans attendre, elle lui enleva ses vêtements; la peau avait pris une couleur violacée. Elle lui frotta les jambes avec de la neige.

—Alphonse, essaye de bouger tes pieds.

Il remua les orteils. Il était sauvé.

—Vous aussi, le père, allez enlever vos vêtements; je vais vous préparer de quoi de chaud à boire.

Elle passa la nuit à surveiller son mari. Le lendemain, le

médecin avait constaté que, grâce au sang-froid de la jeune femme et de son père, Alphonse ne garderait pas de séquelles de son accident.

Après le décès de sa mère, Anna vint vivre avec son père. Peu de temps après, Alfred, qui se sentait devenir un fardeau pour sa fille, décida de donner sa démission.

—Mais pourquoi vous avez fait ça? lui demanda Anna, votre vie est ici, papa.

—Je ne veux plus vivre dans l'île; depuis que ta mère est morte, ce n'est plus pareil.

—Nous autres on est là. Éliane habite maintenant chez Lézy, on peut vous prendre avec nous.

—Non, Anna. T'as bien assez à faire avec ta famille. Moi, je suis capable de m'arranger. Et puis, ça te permettra de retourner à Montréal, toi aussi.

—Mais qu'est-ce que vous allez faire?

—Desmarès et moi, on va se louer un logement. Monsieur Bernadet m'a promis une *job*, comme gardien, au parc Lafontaine. T'en fais pas pour moi, ça va être correct. Ça va faire vingt ans à la fin du mois que je suis sur l'île, tu trouves pas que c'est un beau chiffre ?

Malgré son humour, Anna sentait la tristesse de son père.

Ernest ramena le vieillard à la réalité:

—Le beau-père, tout est paré! On attend après vous!

Alfred se retourna pour contempler "son" île une dernière fois avant de monter sur le traversier.

FIN

Épilogue

C'EST AVEC LE DÉPART D'ALFRED de l'île Sainte-Hélène que nous terminons ce récit. Après 1916, il n'y eut plus jamais de gardien résidant sur l'île. Quelques années plus tard, on construisit le pont Jacque-Cartier, ce qui simplifia beaucoup les communications d'une rive à l'autre.

Alfred travailla encore une dizaine d'années comme gardien au Parc Lafontaine. Il s'était remarié, en 1916, avec Marie Dalphond qui décéda quelques années plus tard. Il vécut chez Éliane jusqu'à son décès en 1934.

Elisabeth, la petite "Lézy", de nature fière et indépendante, celle qui aimait tant les belles choses, vécut à Verdun, dans la paroisse Notre-Dame-de-Lourdes, où elle et son mari travaillèrent comme sacristin et sacristine.

Kilda, la généreuse, qui préférait la nature aux travaux à l'aiguille, joua fréquemment le rôle de sage-femme. Elle s'occupa des oeuvres de sa paroisse, allant même jusqu'à acheter de la nourriture pour les plus démunis.

La jolie Anna, la "noire cochon" d'Alfred, qui aimait le contact avec les gens, exploita ses talents en tenant une épicerie dans Rosemont pendant une bonne partie de sa vie.

La toute petite Eliane, la cadette, la seule fille d'Alfred et d'Adèle qui naquit sur l'île, épousa Jérémie Manzerolle et eut trois garçons. Elle prit soin de son père et de son épouse, jusqu'à leur décès.

Nous sommes un peu tristes de quitter cette famille. Pendant des mois, nous avons vécu avec eux, pour eux. Nous nous sommes acharnées à trouver les liens, à identifier les faits, à découvrir leurs mystères, à vivre leurs émotions, tout en décrivant en parallèle l'aspect social, culturel et historique des événements conjoncturels.

Nous espérons que vous aurez éprouvé le même atttendrissement que nous envers chacun des membres de la famille.

GINETTE BOLDUC,
DANIELLE DULUDE

Août, 1992

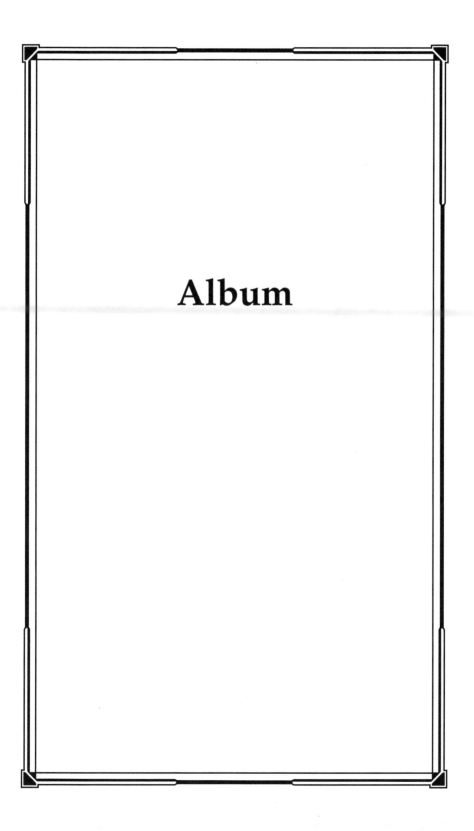

Album

Alfred Dubois (1857-1934)   *Adèle Bilodeau (1861-1914)*

Élisabeth et Kilda Dubois

Éliane et son mari, Jérémie Manzerolle, partent
en voyage de noces. Le 18 août 1926

Kilda Dubois (57 ans) et son mari Raoul Maurice.

Anna Dubois et Alphonse Lebreton.
Le 24 octobre 1911

Éditique: Marcel Bernier
Impression: Les Entreprises Produlith Inc.